トモエそろばんの

脳を上手に使う

大人のそろばん塾

監修
トモエ算盤

日東書院

はじめに

今や計算をするといえば、電卓、携帯電話の電卓機能、エクセル機能でという人がほとんどでしょう。しかし、こうしたデジタル時代にもかかわらず、古くからある計算器「そろばん」は、現在でも小学校の授業で教えられており、全国に多くのそろばん塾があります。

現代にそろばんが生き続けているのは、すぐれた計算器であるのはもちろん、そろばんが楽しいものにほかなりません。

指で玉をはじいて計算をする、その答えが合っている……、そろばんでの計算は集中力を養い、達成感を味わえます。それが、おもしろさにつながるのです。

また、最近の研究で、そろばんは脳にも好影響を与えることがわかり、子どもはもちろんですが大人の健康ツールとしても注目されています。

本書は、かつて子どもの頃に習っていたけれど忘れてしまったという人、興味があるけれどやり方がわからないという人にもわかりやすいよう、そろばん計算のプロセスを図解で紹介しています。計算の基本である足し算・引き算から、ルールがわかれば難易度が高くなるほどおもしろくなる掛け算や割り算まで、段階を追って学べます。また、練習問題では、答えの数字が雑学になっており、楽しく復習できるようにしています。

そろばんのよさを、ぜひ実感してください。

Contents

Contents

[本書のそろばんの玉の見方]

本書で紹介しているそろばんの玉は3色あります。

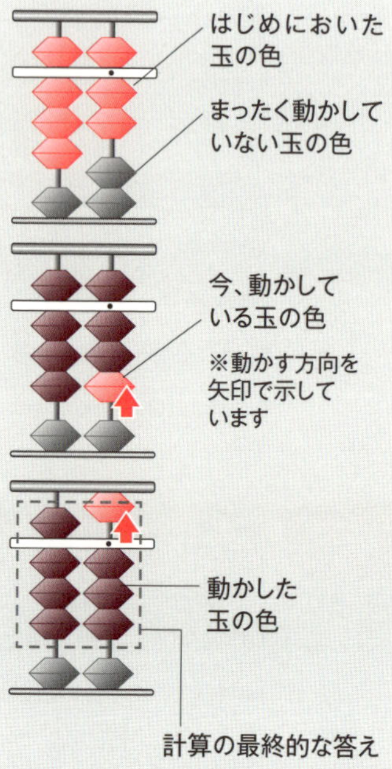

1 章

ここまでわかってきた!
そろばんと脳

そろばんをすると、脳はどう変化するのか、
現在の研究でわかっている
「脳とそろばんの関係」について
脳科学者の澤口俊之先生にお聞きしました。

そろばんで
脳のアンチエイジングを

そろばんは、単に計算力がアップするだけでなく、
最近の研究結果から、脳の老化を防ぐ効果が期待できることがわかりました。
そろばんをすると、脳にどんな変化がみられるのか、
続けることでどんな影響があるのか、現在わかっていることを紹介しましょう。

監修 **澤口俊之**（人間性脳科学研究所所長　武蔵野学院大学大学院教授）
1959年生まれ。北海道大学理学部生物学科卒業、京都大学理学研究科博士課程を修了。脳科学者、脳育成学者として、高次脳機能、特に前頭前野（前頭連合野）の研究を展開。『平然と車内で化粧する脳』（扶桑社）、『夢をかなえる脳』（WAVE出版）、『「やる気脳」を育てる』（小学館）など著書多数。

そろばんには
こんな効果が
期待されます！

いちばんに老化しやすい脳の前頭前野を上手に使うことで、新しいものについていけない、やる気が出ない、判断力の低下などの老化を防ぐ。

ワーキングメモリの機能を向上させることで、物忘れなどの老化を防ぐ

脳を若く保つ

脳の老化は20歳から始まっている

私たちの体は、年とともに機能が衰えていきますが、脳の老化はいつから始まっていると思いますか？

50歳ぐらいから始まると思っているかもしれませんが、実は20歳から始まっています。脳の老化は、脳の前頭前野という部分から始まり、年とともに働きが衰えていきます。脳の司令塔といわれる前頭前野は、ものを覚えたり、やる気を出したり、人の気持ちを察したり、2つ以上のことを同時にしたり、想像力や決断力、集中力、やってはいけないことをセーブする理性など、人間らしく生きるために必要な働きをしています。

そのため、前頭前野の働きが衰えると、好奇心がなくなってくる、新しいことをしなくなる、新しいことが覚えにくくなる、決断力が遅くなる、その一方でこだわったり、頑固になったりしてきます。中高年の人には、心当たりがあるのではないでしょうか。

また、前頭前野が衰えると、ワーキングメモリの働きも低下します。ワーキングメモリ（作業記憶）とは、何かの作業を行うため、一時的に記憶を脳に蓄え、それを使って作業する機能で、脳の前頭前野に加えて、頭頂葉も関わっています。

このワーキングメモリ機能が低下すると、いわゆる物忘れがおきやすくなります。例えば、2階に用事があって上ったものの、何をしに2階へ上がったか忘れてしまう、人の名前が思い出せないなど、わかっているのに引き出せなくなるのです。また、鍋を火にかけているときに電話があっておしゃべりをしていたら、火にかけた鍋のことを忘れてしまうなど、作業が重なると最初の作業を忘れてしまったりします。

脳の老化を防ぐには、前頭前野の働きを低下させないことが大切です。それに効果があると考えられているのが、前頭前野をうまく使うそろばんです。

簡単なそろばんでも左右の頭頂葉と前頭葉が活動

そろばんと脳については、まだ解明されていない点も多いですが、脳科学者の澤口

[大脳は4つの部位に分けられる]

前頭葉《ぜんとうよう》——思考、やる気、感情、理性などを司る。また、言葉を話したり、全身の運動に関する指令を出す。

頭頂葉《とうちょうよう》——手にとったものの大きさ、感触がわかったり、距離感を感じ取るなどの感覚を司る。

側頭葉《そくとうよう》——聴覚や嗅覚を認識したり、色や形からそれが何なのかを認識する役割も持つ。記憶の機能を持つ海馬などの神経組織がある。

後頭葉《こうとうよう》——主に、視覚情報を処理する。

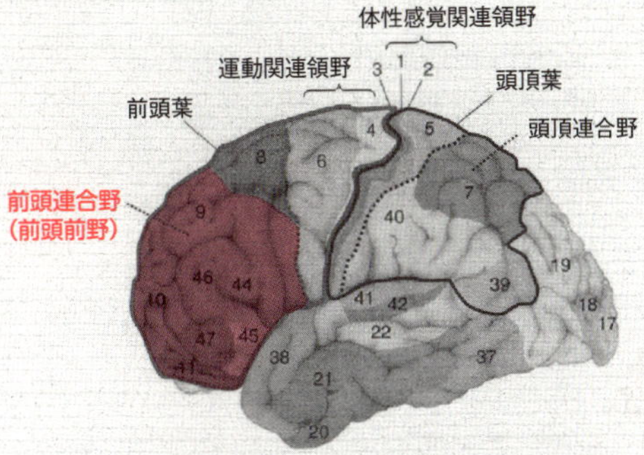

脳の働きは、脳の表面近くにある大脳皮質と呼ばれる部分で行われています。そして、大脳皮質は、部位によって上記のように機能が分かれています。

[3桁の計算をそろばんで行ったときの脳]

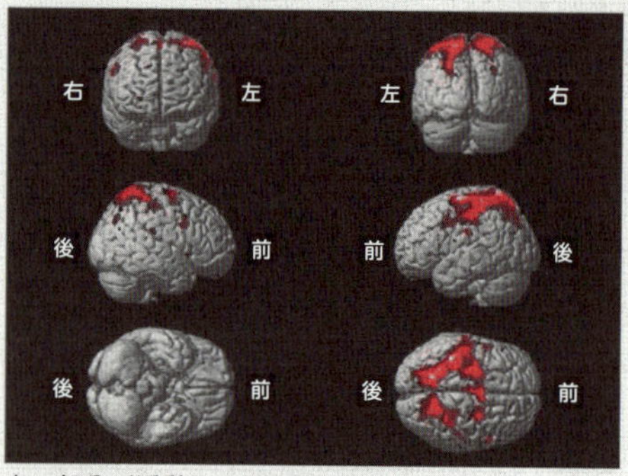

赤い部分が活動している領域です

[5桁の計算をそろばんで行ったときの脳]

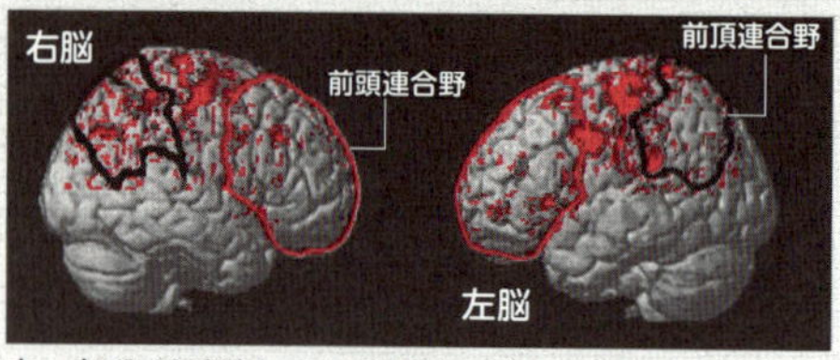

赤い部分が活動している領域です

出典　北海道大学医学研究科高次脳機能学分野（2005年）

俊之氏の研究で、そろばんで計算をしているときの脳の動きが明らかになりました。

そろばんを少し習っただけという、熟練者ではない24歳前後の若者たちに、繰り上げや繰り下げがない、簡単なそろばん計算を行ってもらったところ、3桁の簡単な計算でも、脳の頭頂葉と前頭葉が、右脳、左脳ともに活動することが、脳の画像からわかったのです。

今までの研究で、簡単な足し算や引き算の暗算をすると、主に左脳の頭頂葉と前頭葉が活動することはわかっていました。また、そろばんを使わない難しい暗算をすると、左脳に加えて右脳も活動することも報告されていましたが、そろばんを使えば、ごく簡単な計算でも左右の頭頂葉と前頭葉が強く活動するという結果は驚きでした。

右手を使って計算をするそろばんは、当然ながら左脳の運動関連領野（運動に関係）や体性感覚関連領野（皮膚感覚などに関係）が活動します。そればかりか、左脳、右脳の両方の前頭連合野（前頭前野）の後方領域と、頭頂連合野（物体間の距離などの空間認識を情報処理）の一部が活動しています。

さらに5桁のそろばん計算でも実験してみると、さらに多くの脳領域、しかも高度な知能の脳領域を使うことがわかりました。

この実験でのそろばん計算は、初心者で

こんなこともわかっています！

前頭前野は子どもの頃に最も発達する

脳は一部だけが動いているわけではなく、全体として動いており、パーツ、パーツがお互いネットワークをつくっています。この脳のネットワークは、そろばんによって太くなるということが、子どもを対象にした最近の研究結果で明らかになりました。

これを脳の統合性といいますが、ネットワークが太くなるということは脳の構造をよい方向に変え、脳がよりうまく使えるようになることを意味します。

前頭前野は、5歳をピークに10歳くらいまで大きく発達するので、子どもの頃からそろばんをするのがおすすめです。前頭前野が発達しているときに、そこを十分に使うと、豊かに発達していきます。

大人を対象とした研究結果は報告されていないので、子どもと同じように脳の構造が変わるのかどうかはわかりませんが、大人になっても前頭前野は使わないと衰えていくので、上手に使うことが必要です。

も玉の動かし方を覚えればすぐにできるものにも関わらず、少し桁数を増やしただけで、左右の高度な脳領域が活動しました。

つまり、そろばんは、脳を広範囲に使うことができるのです。

前頭前野とワーキングメモリを向上させて老化を防ぐ

証明にはさらなる研究が必要ですが、そろばんには、脳の老化にともなって急速に低下していく脳領域（前頭前野）とその働き（ワーキングメモリ）を向上させる可能性があると推測されます。

そろばんをすることで、いちばん老化しやすい前頭前野がうまく使われていることは、すでに証明されています。さらに、そろばんは、数字を見たり、数えたり、手を動かしたり、順番に作業をしていくので、ワーキングメモリの神経回路をよく使います。このように、ワーキングメモリに負荷をかけて鍛えることによって、ワーキングメモリの低下を遅らせたり、機能の向上も図れるのではないかと考えられます。

そろばんには、前頭前野の衰えによって生じる、新しいものについていけない、やる気がなくなるといった老化の症状が軽減されるほか、脳の老化予防によって、認知症になるリスクが低くなることも期待できます。

脳の老化をストップすることはできませんが、そろばんで脳を鍛えることによって、今の脳科学では、おそらく30歳、40歳のレベルの脳機能を80歳ぐらいまで保てるのではないかと思われます。

脳を若く元気に保つためにも、そろばんはよいといえるでしょう。

そろばんが「社会力」を向上させる!?

そろばんによる脳の活動で注目したいのが、さまざまな知的作業にとって非常に重要である「前頭連合野（前頭前野）ー頭頂連合野システム」という神経システムが活発に活動するということです。

前頭連合野（前頭前野）ー頭頂連合野システムの働きの中でも、特に重要なのが、さまざまな知能作業に共通して使われる「一般知能（gF）」です。gFというのは聞き慣れない言葉でしょうが、欧米では「勉強や仕事にもっとも重要な知能」とされているもので、単に知能をはかるものではなく、社会的な成功や結婚、子育てなどの「社会力」にも関わっています。

gFに関わる脳の部分が活性化するということは、そろばんによって、学力だけではなく、社会力も向上させることができる可能性を意味しています。これを証明するには研究が必要ですが、そろばんが脳を鍛えるのに有効なことは間違いありません。

COLUMN 1

そろばんミニ知識

玉の材質は何？

一般的に多く使われているのは、樺《かば》の木です。樺の中でも、オノが折れそうに堅いという意味がある、岩手産の斧折樺《おのおれかんば》が主に使われています。

このほかにも、櫛《くし》にも使われているつげの木が使われています。なお、昔は柊《ひいらぎ》の木が多用されていたようです。

そろばんの生産地ってあるの？

有名なのは、島根県仁多摩郡奥出町の「雲州そろばん」と、兵庫県小野市を中心とした「播州そろばん」です。伝統工芸品としても指定されています。

そろばんの日ってある？

パチパチということで、8月8日です。昭和43年（1968）に制定されました。

なぜ、そろばんの玉は菱形？

そろばんは中国から伝えられたものですが（詳しくはP32そろばんの歴史参照）、そのときは丸い玉でした。

現在の2つの円錐を合わせたような形になったのは、庶民にそろばんが広まった江戸時代といわれています。親指と人指し指を使って、上から下へ、下から上へとはじきやすく、すばやく計算できるようにした究極の形といえるでしょう。日本人の知恵が、そろばんの玉の形にもあらわれています。

そろばんの数え方は？

そろばんは、1個ではなく、1梃・1丁（ちょう）と数えます。または、1台、1面という場合もあるようです。

2章

覚えてる?
そろばんの基本

そろばんをあまり覚えていないという人は
そろばんの名前、数のおき方や読み方など、
そろばんの基本をおさらいしましょう。

Lesson 1

そろばんを始める前に

まずは、そろばんの各部の名前や数の表し方、計算の準備など、
「そろばんの基本」をマスターしましょう。

その1　そろばんの各部の名前と数の表し方

本書の中でも、そろばん各部の名前はあちこちに出てきます
読み進めるうちに混乱しないよう、しっかり覚えておきましょう！

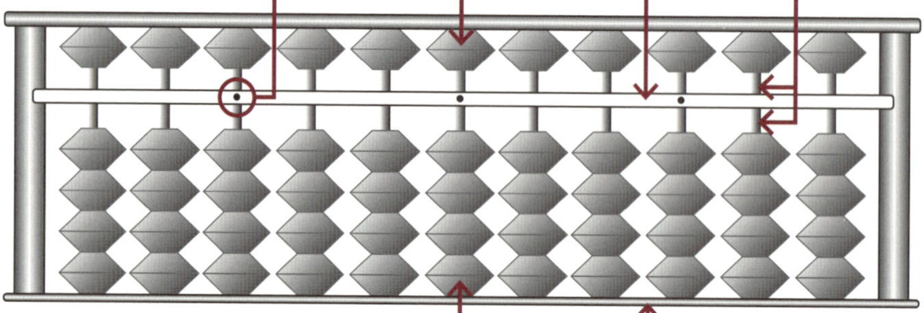

数の表し方

0～4は、上に上がっている一玉の数で表します。

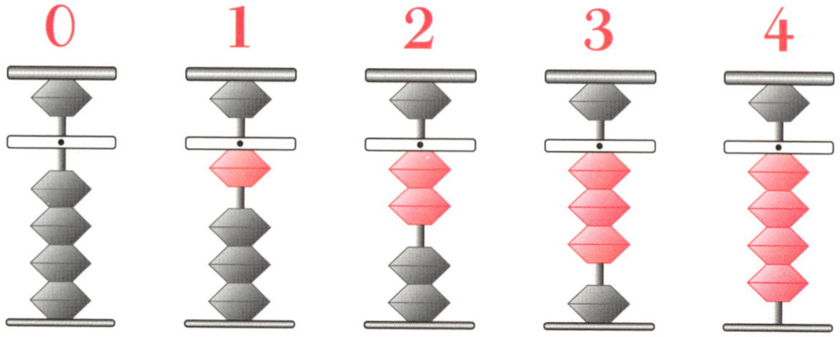

5～9は、下がっている五玉と上がっている一玉の数で表します。

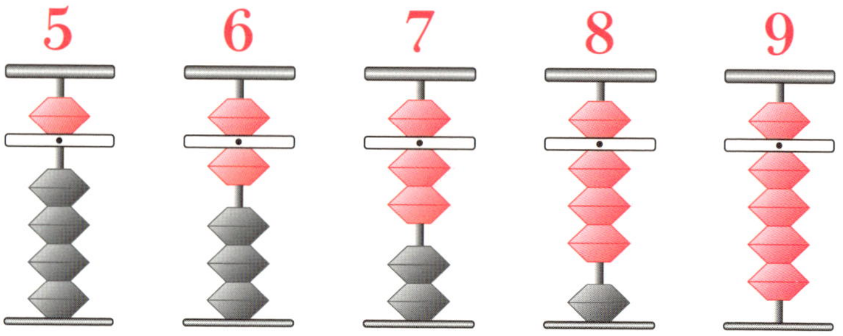

その2　そろばんをするときの姿勢

そろばんに向かうときは、背筋を伸ばして、肩の力を抜きましょう。左手は軽く枠を押さえるようにして、右手は中指・薬指・小指を軽く握ります。右手に鉛筆を持って、そろばんをすると、計算の答えがすぐ書けます。

その3　計算の準備

1 左手でそろばんを手前に傾け、すべての玉を下げます。

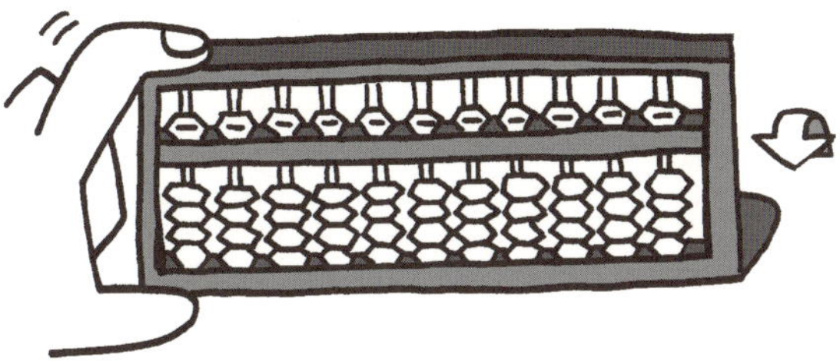

2 玉が動かないよう、静かに水平に戻します。

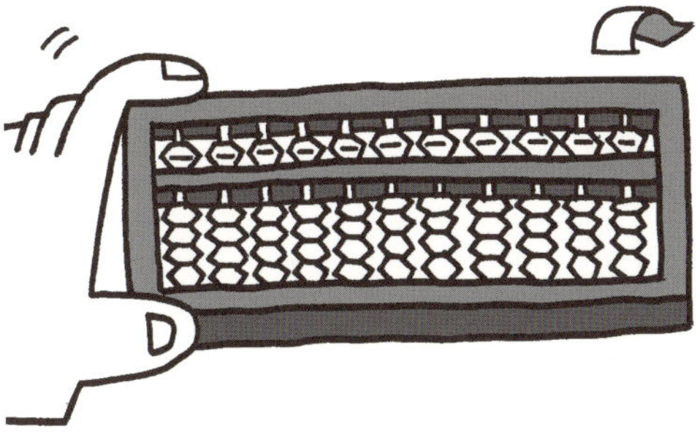

3 右手の人さし指を使って、下がっている五玉を左から右へ払い上げます。

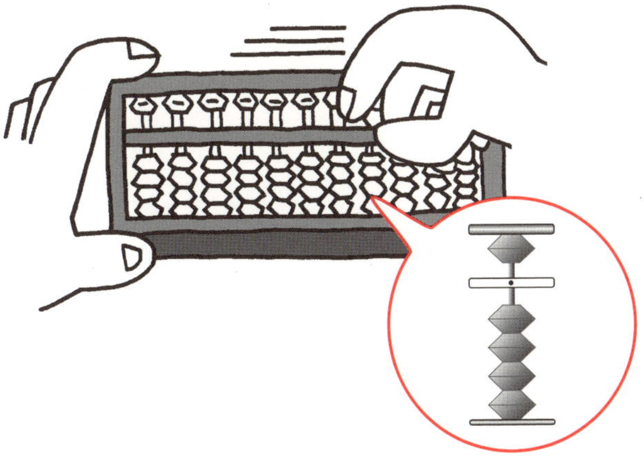

計算をはじめる前に、すべての玉を「0」の状態にします。これを「ご破算（ごはさん）」といいます。そろばんでよく言う「ご破算で願いましては」は、0にしてこれから新しい計算をしますよ、という合図です。あまり勢いよく五玉を払うと、玉が動いてしまうので気をつけて！

Lesson 2 玉の動かし方を覚える

玉を動かすときは、親指と人さし指だけを使います。
正しい指使いを覚えれば、計算も速くできます。

その1 1〜4をおく・減らす

そろばんに数を表すために、玉を動かすことを「おく」といいます。
1〜4をおくときには、親指で一玉を上に動かします。

1をおく　2をおく　3をおく　4をおく

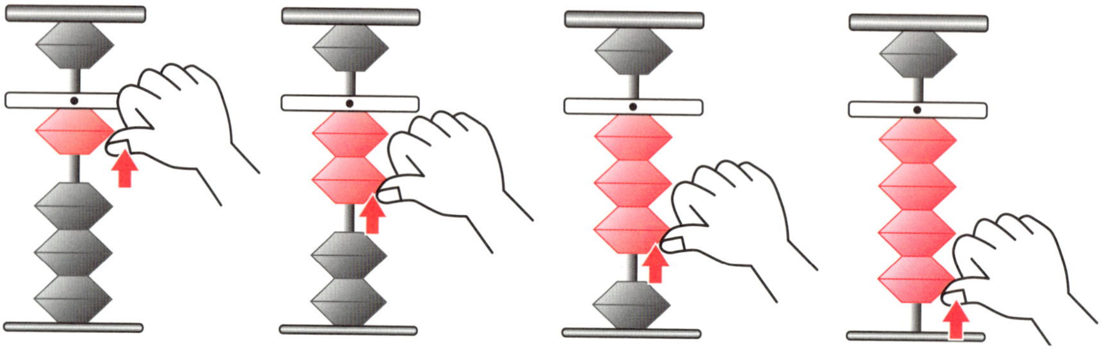

1を減らす　3を減らす

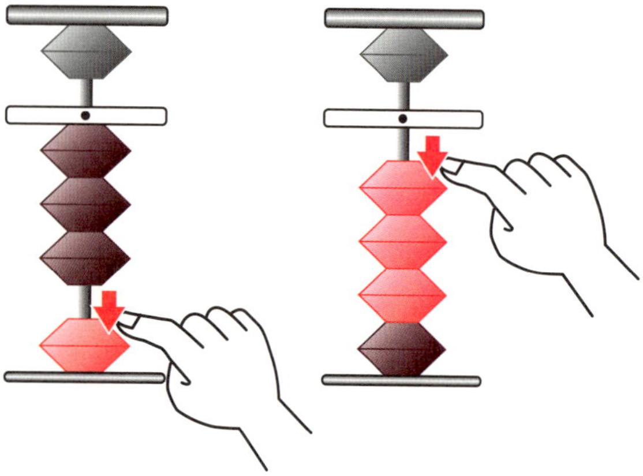

一玉を減らすときは、
人さし指で下に動かします。

その2　5をおく・減らす

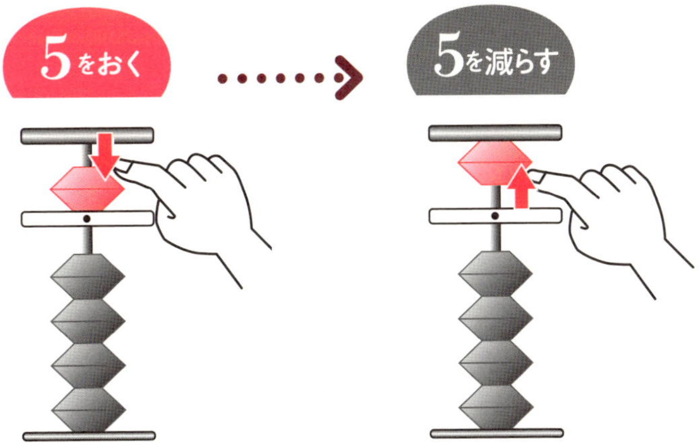

五玉は人さし指で動かします。五玉を減らすときは、爪で押し上げるように動かします。

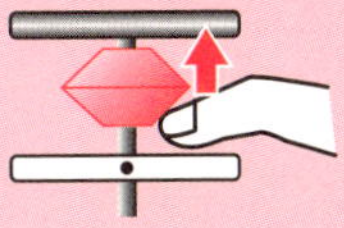

その3　6～9をおく・減らす

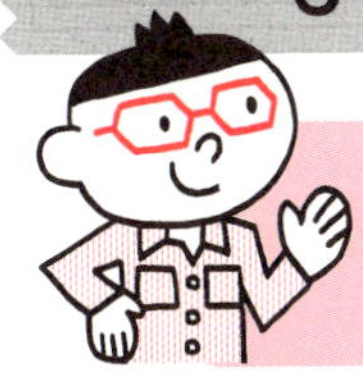

6～9をおくときには、親指と人さし指を使って、一玉と五玉を同時に動かします。減らすときは人さし指だけを使い、一玉を下げてから五玉を上げます。

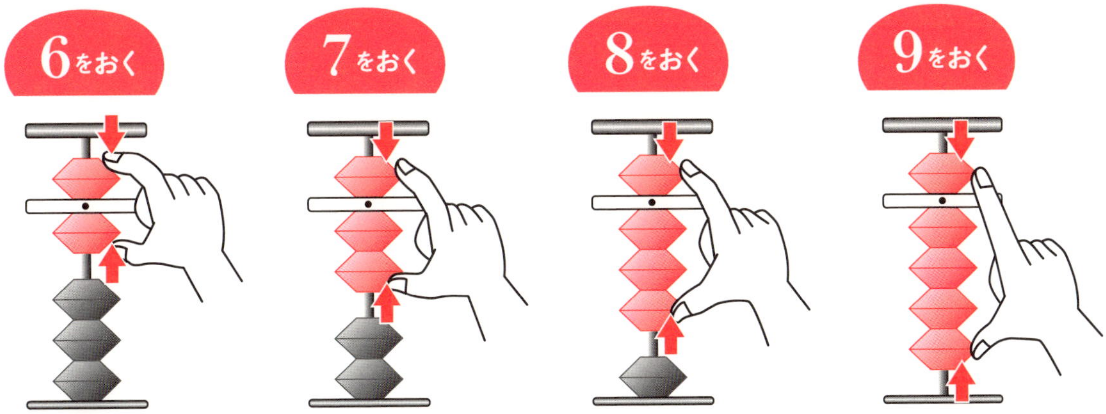

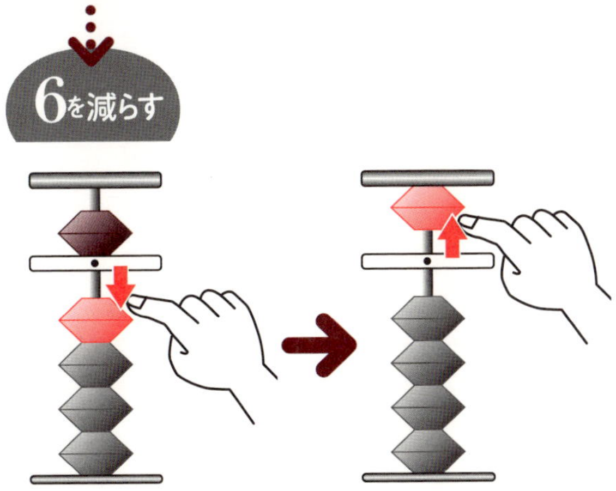

❶一玉を下げます。　❷五玉を上げます。

6～9を減らすときは、一玉を親指、五玉を人さし指で同時に減らす方法もあります。

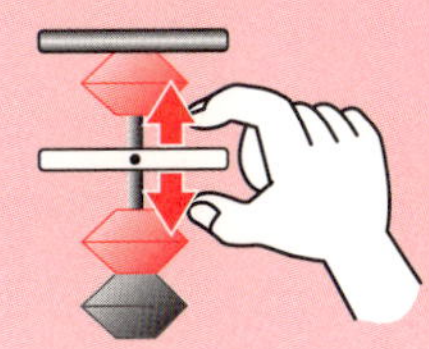

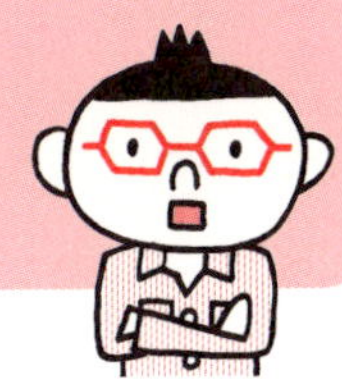

Lesson 3 大きな数をおく

**1桁の数のおき方を覚えたら、次はもっと大きな数にチャレンジ！
数字をおく桁を間違えないようにしましょう。**

その1 位ごとに数をおく

そろばんでは、定位点を一の位として、桁が1つ左に移るごとに位が大きくなります。そろばんの中央にある定位点を一の位にするとよいでしょう。
定位点は3桁ごとにあるので、大きな数字をおくときの目印になります。

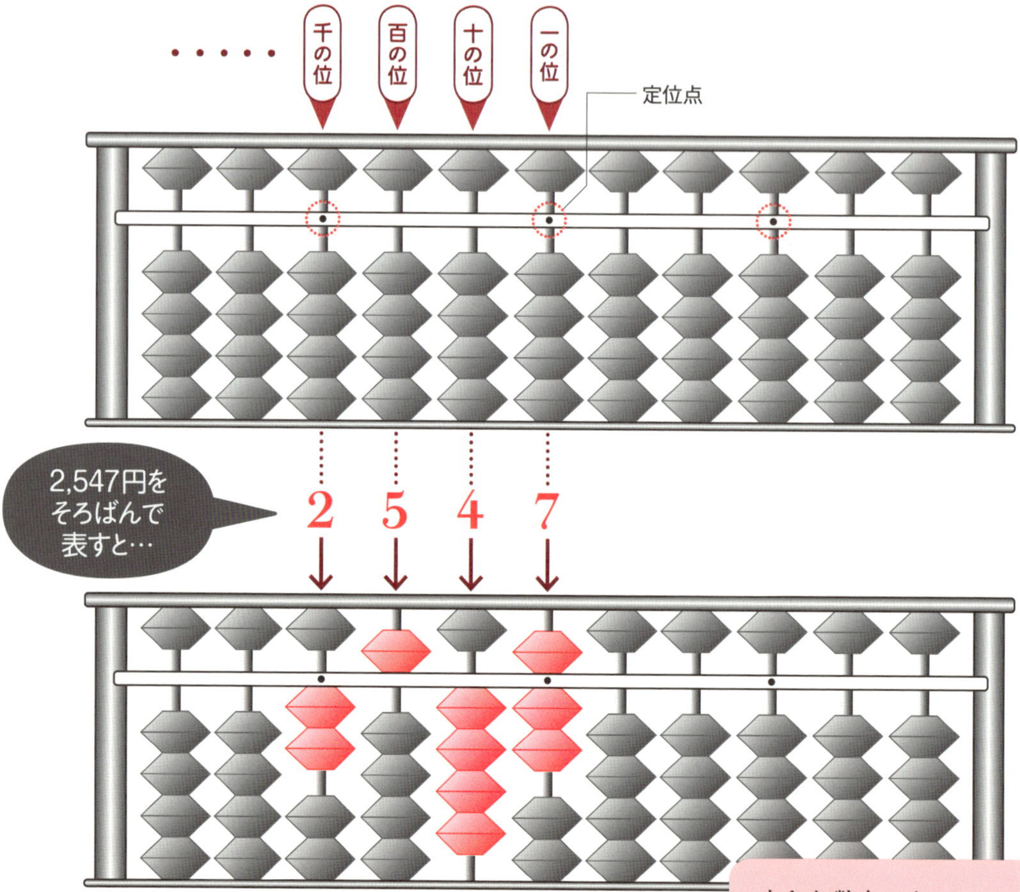

大きな数字でも、1つの位に1つずつ数をおいていけばいいんです！

その2 356をおく

数をおくときは、大きな位の数から順においていきます。

1 百の位に3をおきます。

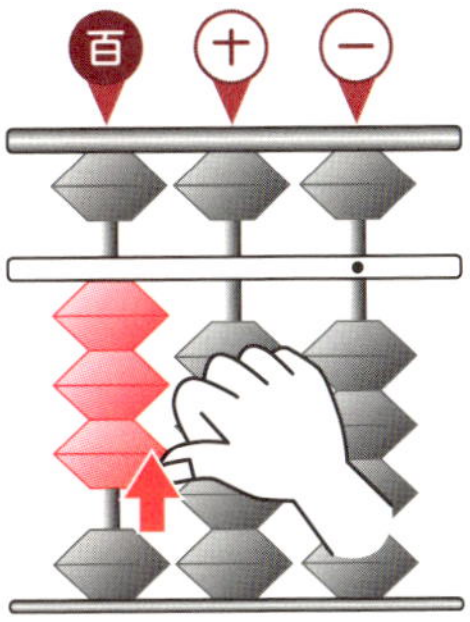

2 十の位に5をおきます。

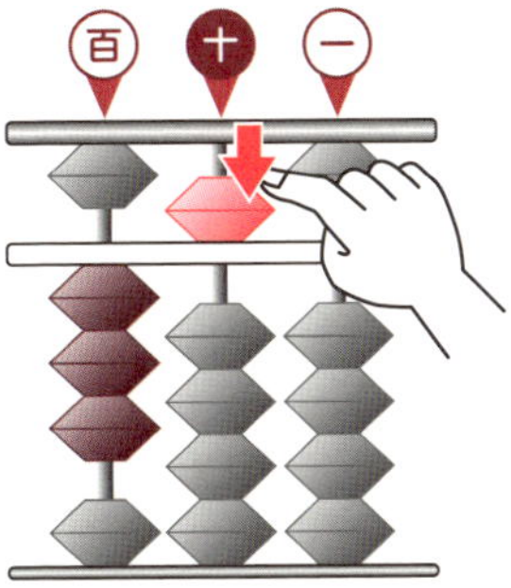

3 一の位に6をおきます。

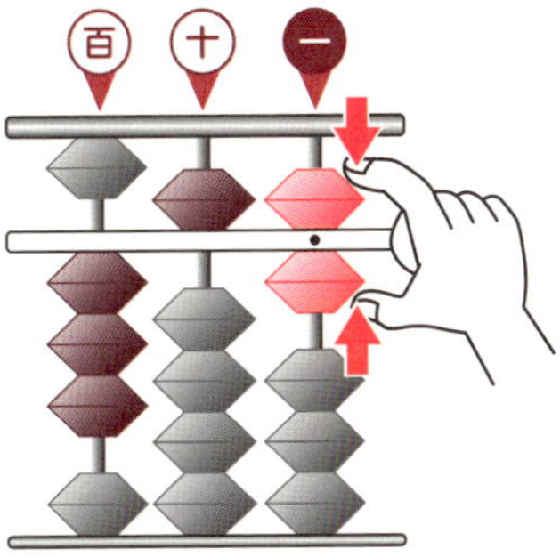

その3 80,260をおく

1 万の位に8をおきます。

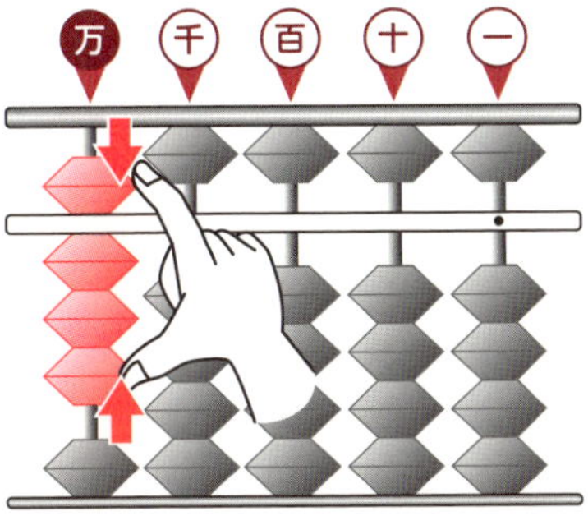

2 千の位は0なので、玉を動かしません。

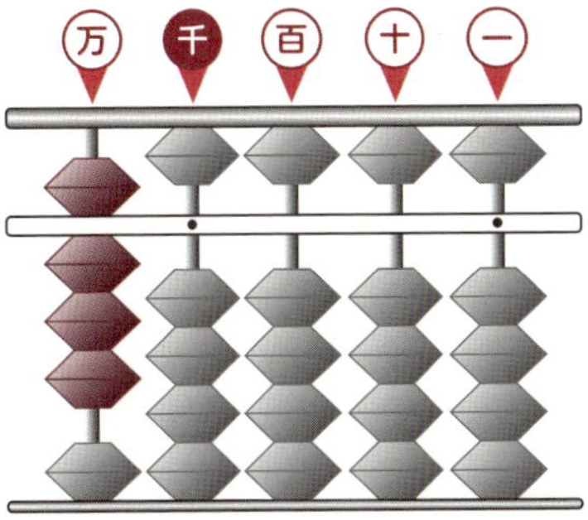

3 百の位に2をおきます。

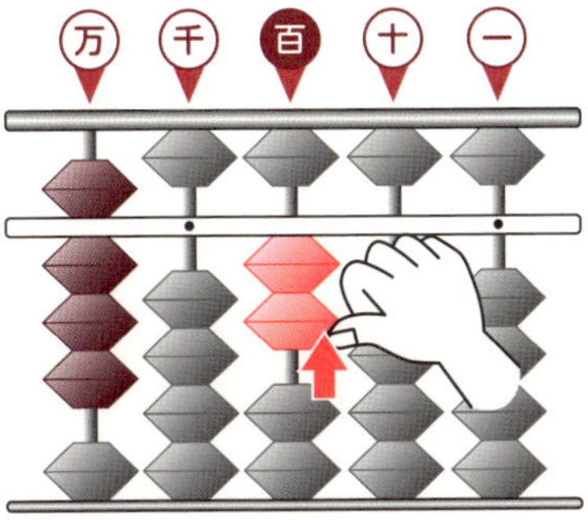

4 十の位に6をおきます。

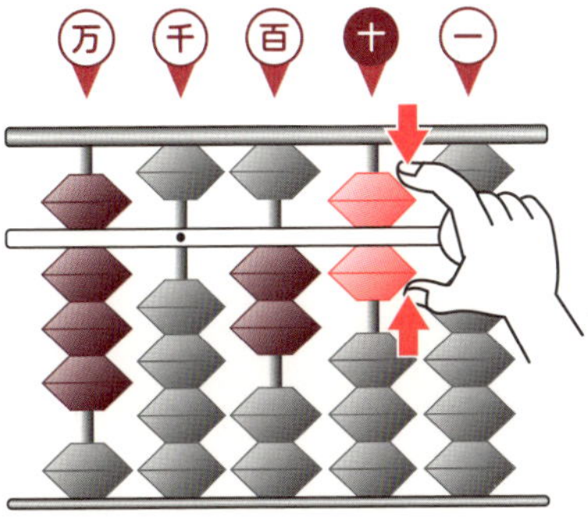

5 一の位は0なので、玉を動かしません。

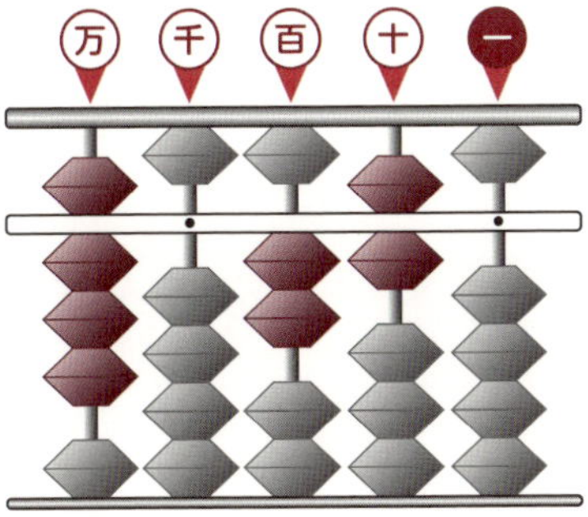

数が0の桁は、玉を動かしません。間違えて次の桁の数をおかないように気をつけましょう！

Let's Challenge!

数字をおく・数字を読み取る

答えはP18下

親指と人さし指を使って、そろばんに数字をおいてみましょう。
また、定位点で位を把握できれば、桁数の多い数字もすぐに読み取れます。

数字をおく

❶ 23　❷ 87　❸ 326　❹ 532

❺ 873　❻ 1,491　❼ 4,200　❽ 10,607

数を読む

❶
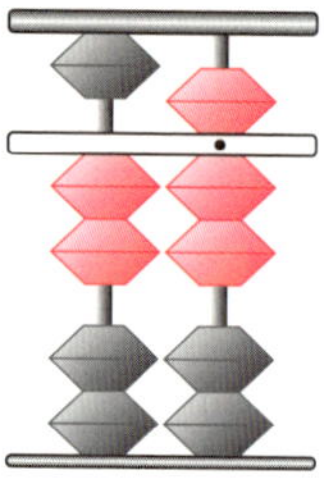

❷
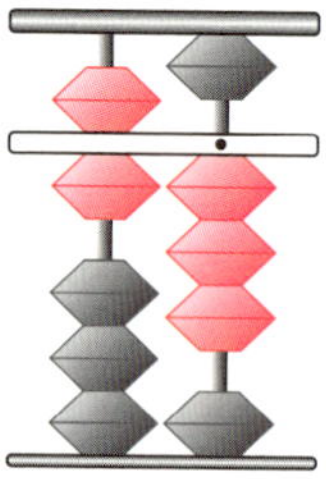

❸
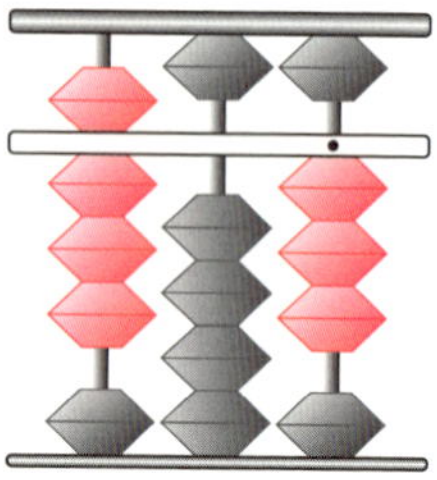

❹
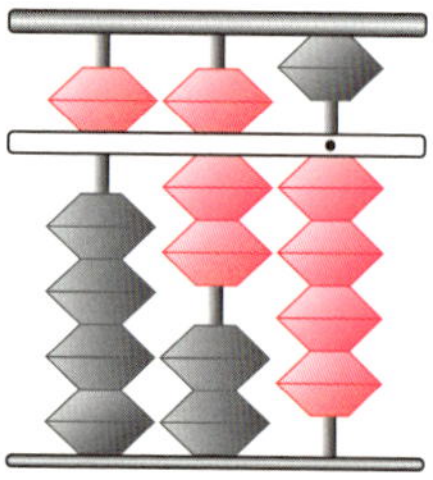

❺
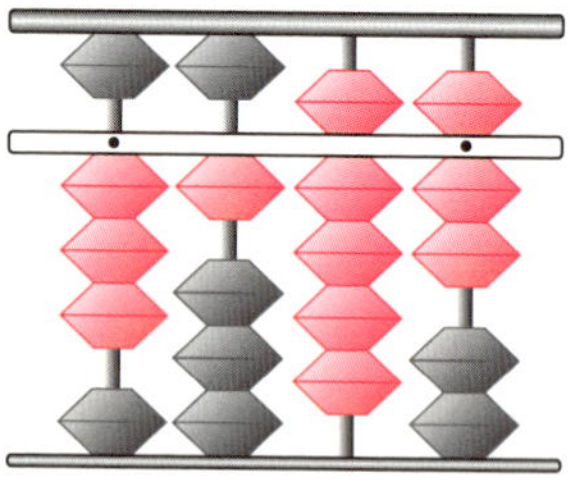

❻
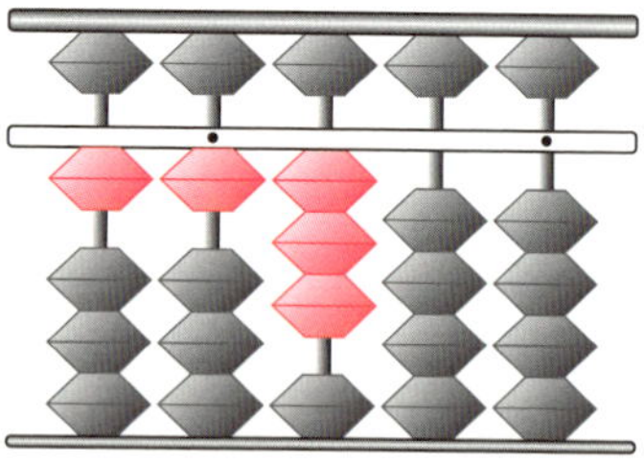

答え

[数字をおく]

①
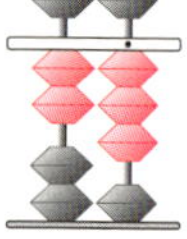

②
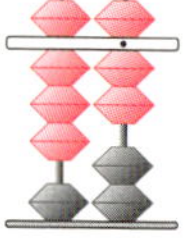

③
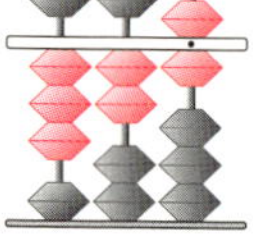

④
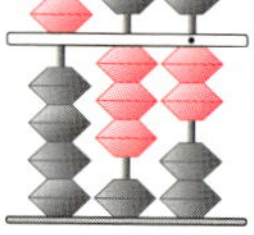

⑤
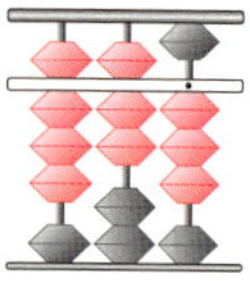

⑥
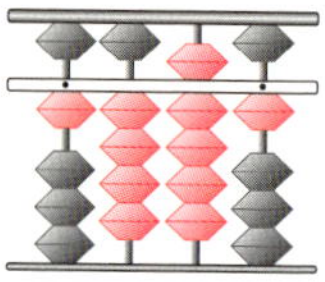

⑦
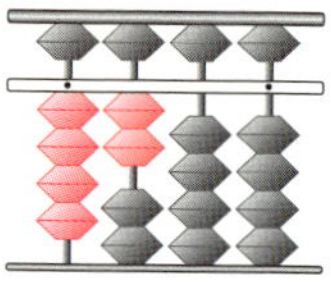

⑧
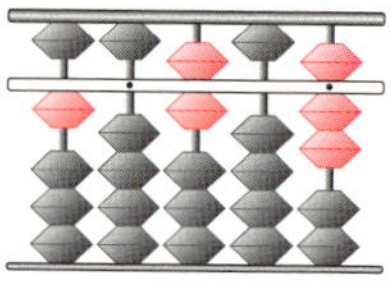

[数を読む]

①27
②63
③803
④574
⑤3,197
⑥11,300

3 章

計算の基本
足し算・引き算

足し算と引き算は、そろばんの基本となるもので、
掛け算や割り算にも必要です。
ひとつずつクリアしてステップを踏んで
しっかり身につけましょう。

Lesson 4

簡単な足し算

一の位となる定位点を決め、親指と人さし指を使って数字をおくところからスタート。
玉の動かし方の練習も兼ねて、やさしい足し算をやってみましょう。

その1　22+2の答えを求める

暗算でもできる計算ですが、足す桁の場所、指の動かし方、そろばんで見える数に慣れるところから始めましょう。

1 22をおきます。

一の位の定位点を決め、大きな位の数から数字をおきます。

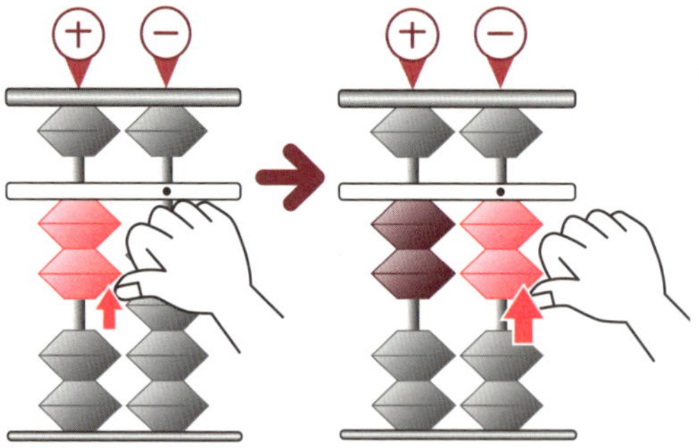

2 一の位に2を足します。

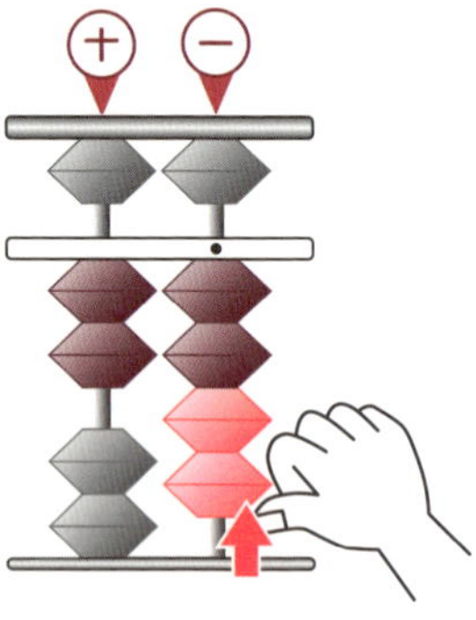

答え **24**

その2　25+53の答えを求める

1 25をおきます。

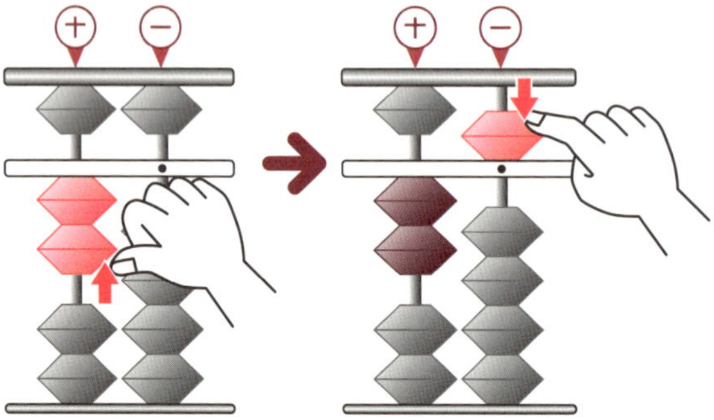

そろばんは大きい位から数をおきます。足すときも同じです。

2 十の位に5を足します。

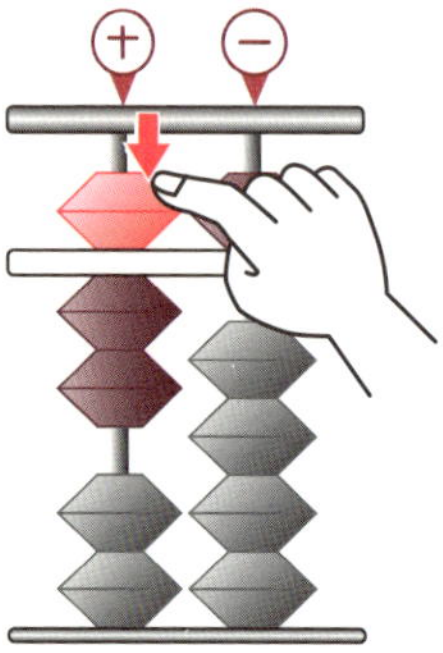

3 一の位に3を足します。

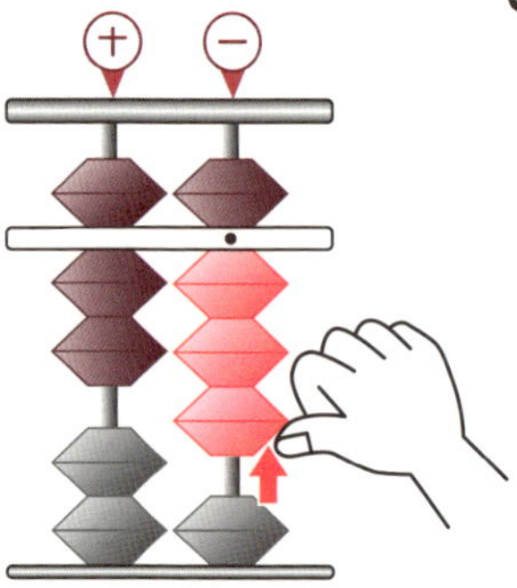

答え **78**

答え　①47　②64　③89　④242　⑤834

その3 612+257の答えを求める

❶ 612をおきます。

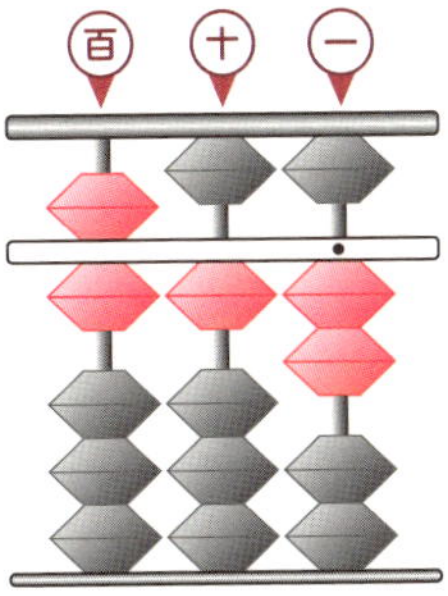

❷ 百の位に2を足します。

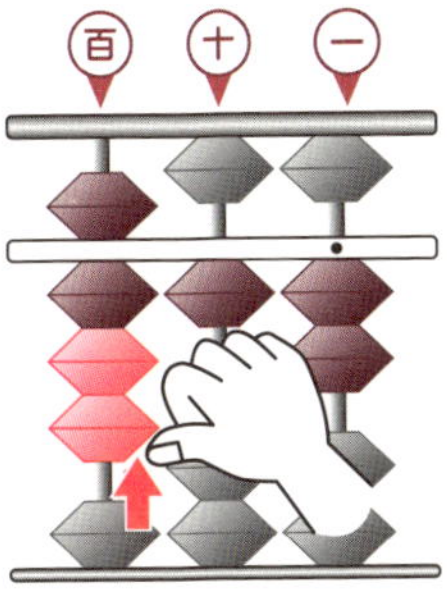

❸ 十の位に5を足します。

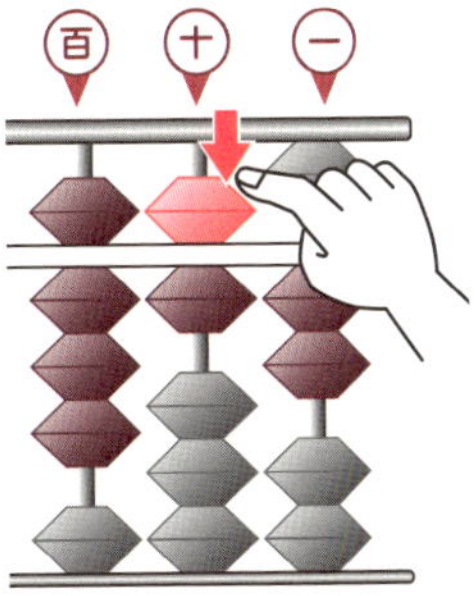

❹ 一の位に7を足します。

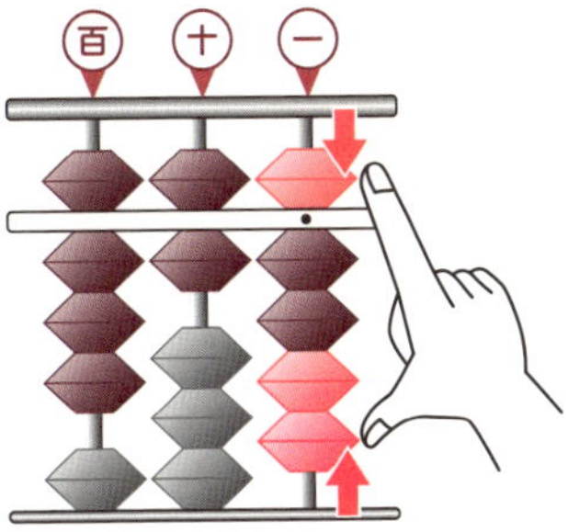

答え 869

桁が増えても計算方法は一緒！ 数字をおく位置を間違えないようにしましょう。

その4 125+251+13の答えを求める（見取り算）

125
251
13

2つ以上の数字を計算するとき、そろばんでは左のように縦に並べて数字を表します。これを**見取り算**といいます。数字の横に何も書かれていないときは、足し算を意味します。

❶ 125をおきます。

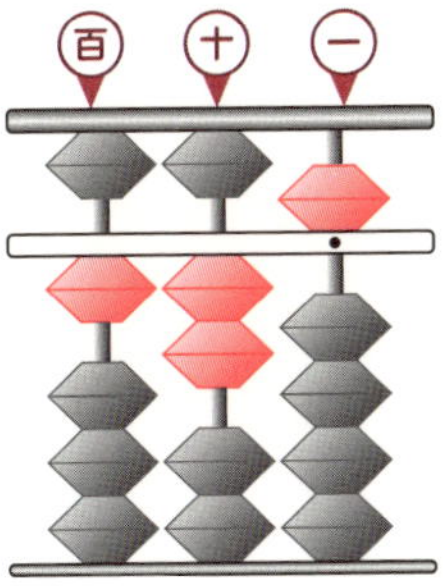

❷ 百の位に2、十の位に5、一の位に1を足します。

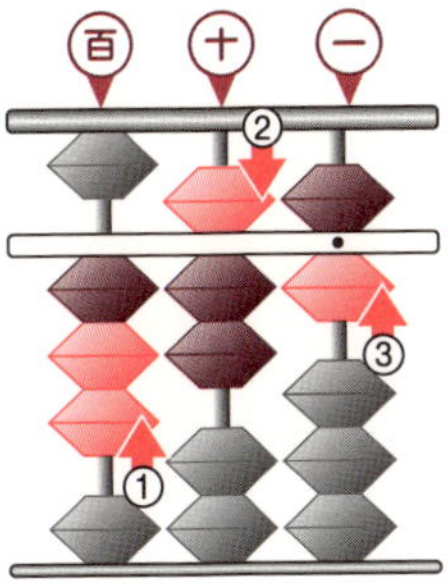

❸ 十の位に1、一の位に3を足します。

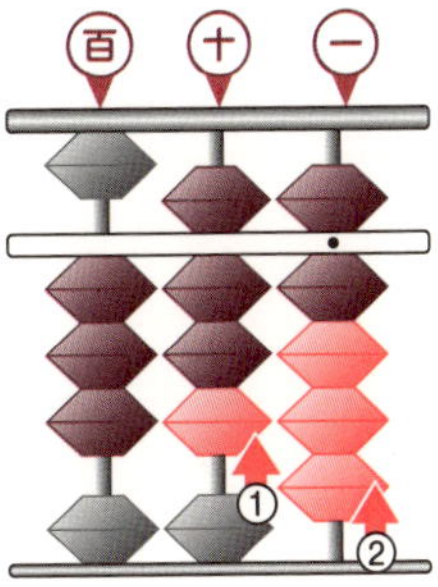

答え 389

練習問題（答えはP20）

❶ 41 + 6 ＝

❷ 52 + 12 ＝

❸ 34 + 55 ＝

❹ 210 + 32 ＝

❺ 313 + 521 ＝

Lesson 5

簡単な引き算

簡単な足し算をマスターしたら、次は引き算をやってみましょう。
引き算も、足し算と同じく大きい位から順に計算します。

その1　59−3の答えを求める

一玉を動かすとき、足し算では親指を使いますが、引き算では人さし指を使って軽く下にはじきます。玉の減らし方を覚えましょう。

1 59をおきます。

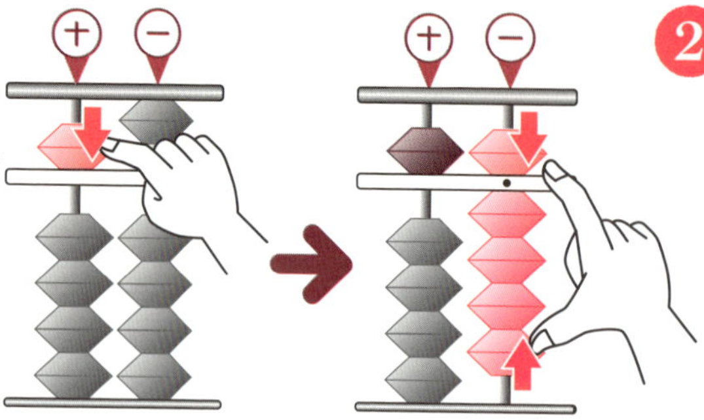

2 一の位から3を引きます。

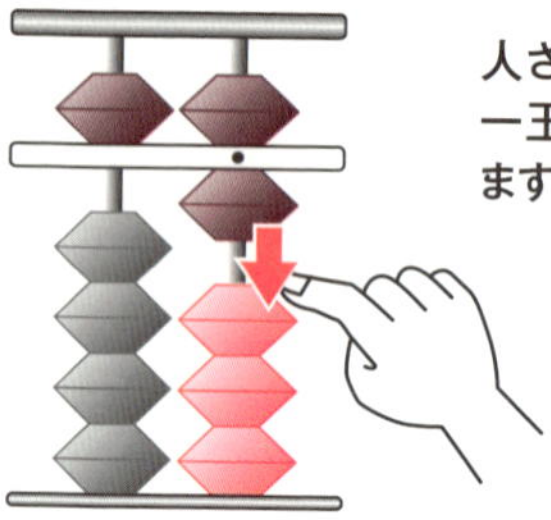

人さし指を使って、一玉から3を引きます。

答え 56

その2　28−16の答えを求める

1 28をおきます。

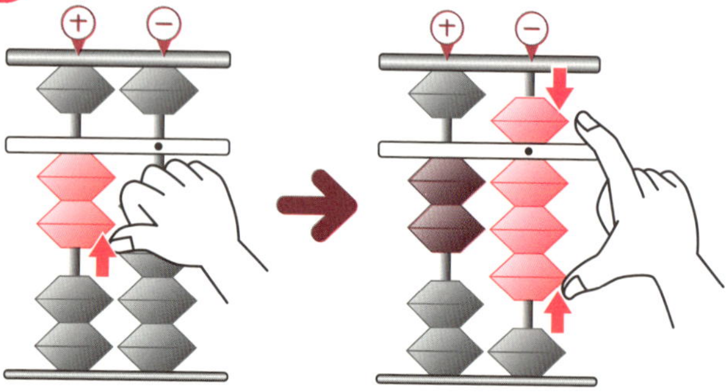

2 十の位から1を引きます。

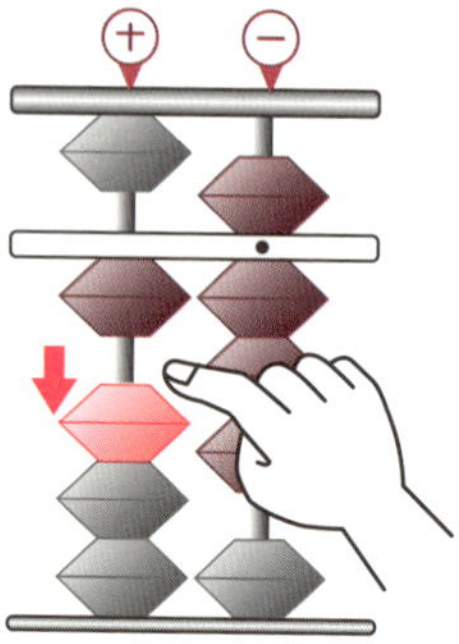

3 一の位から6を引きます。

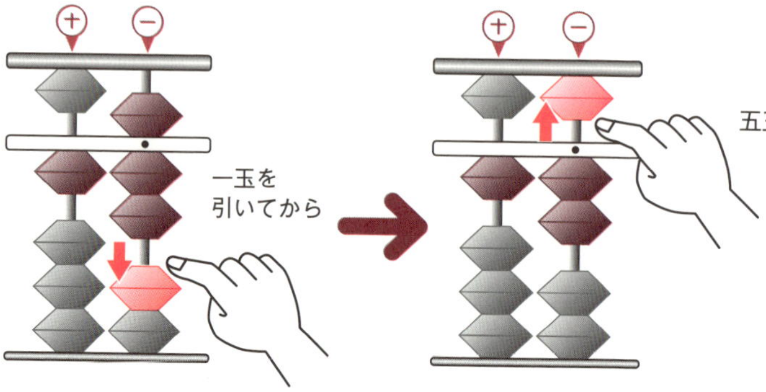

答え 12

答え　①91　②51　③34　④853　⑤206

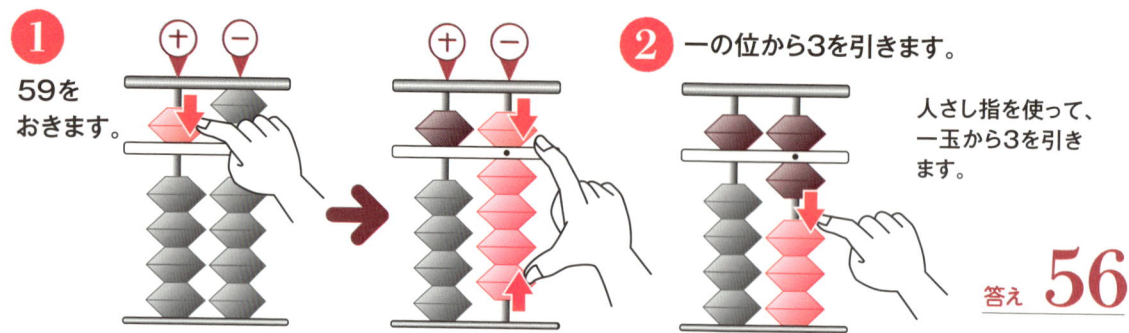

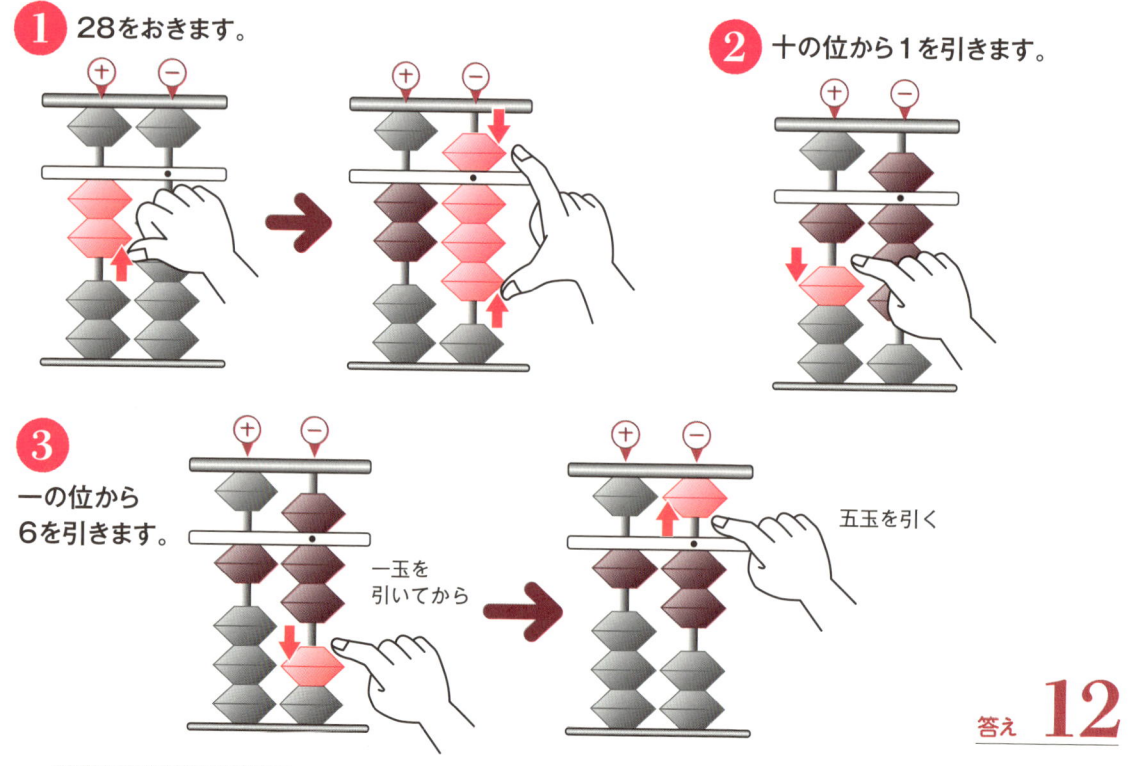

その3　873−652の答えを求める

1 873をおきます。

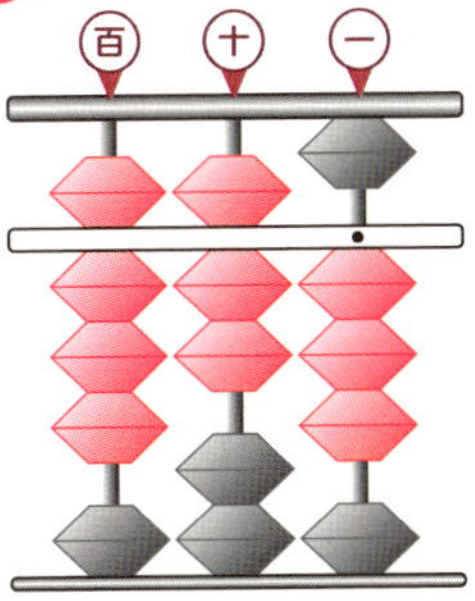

2 百の位から6を引きます。

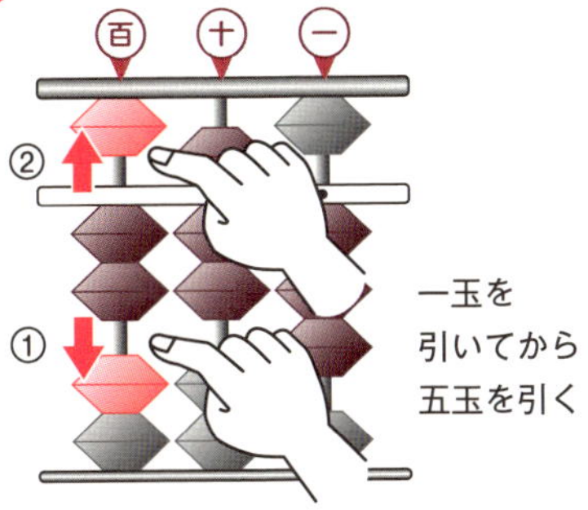

3 十の位から5を引きます。

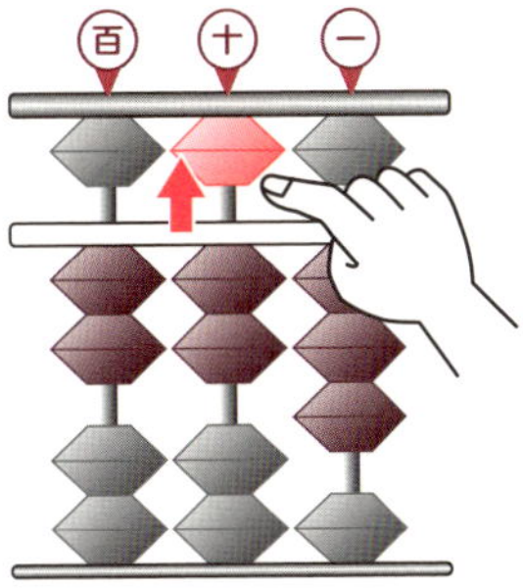

4 一の位から2を引きます。

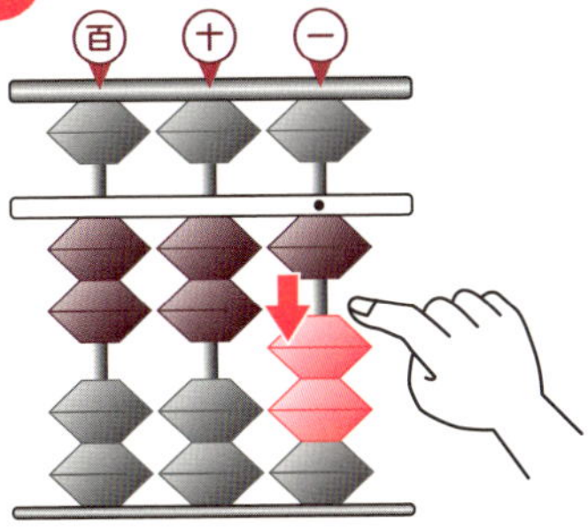

桁が増えてもあせらず、大きい位から順に計算を！ 慣れれば自然にスピードが速くなります。

答え **221**

その4　326+53−67の答えを求める（見取り算）

326
53
−　67

数字の前に何も書かれていないときは足し算。数字の前に「−」が書かれているときは引き算をします。記号を見逃さないように！

1 326をおきます。

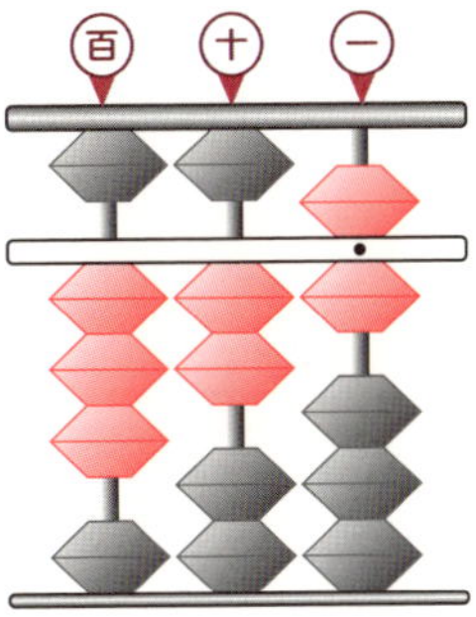

2 十の位に5、一の位に3を足します。

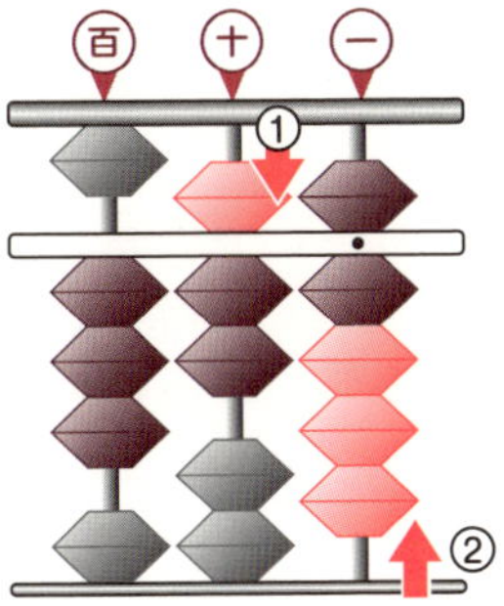

3 十の位から6、一の位から7を引きます。

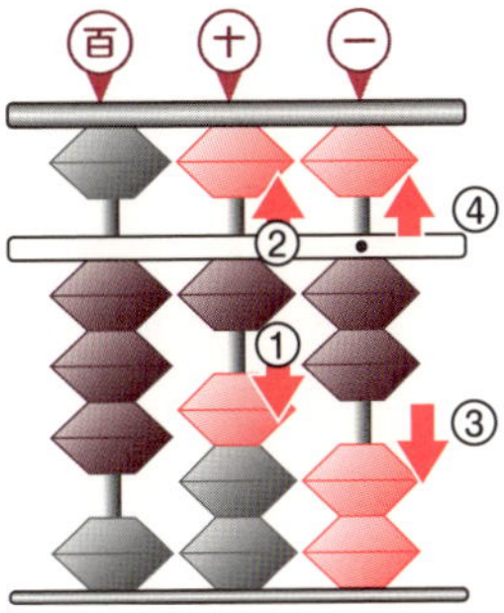

答え **312**

練習問題 (答えはP22)

❶ 96 − 5 ＝

❷ 74 − 23 ＝

❸ 49 − 15 ＝

❹ 994 − 141 ＝

❺ 459 − 253 ＝

Let's Challenge!

簡単な足し算・引き算

答えはP25下

簡単な足し算と引き算の練習です。
位を間違えず、一玉と五玉を足したり、引いたりすれば、桁数が増えても大丈夫！

❶ 42 ＋ 5 ＝ □

この数字は？

上野動物園に、ジャイアントパンダのランランとカンカンがやってきた昭和の年です。日本初のパンダは人気を集め、上野動物園の年間入園者は700万人を超える年が続いたとか。

❷ 944 － 310 ＝ □

この数字は？

世界一高い電波塔・東京スカイツリーの高さです。東京スカイツリーの展望台は高さ350mで、東京タワーの高さ（333m）より高い位置にあります。

❸ 1,925 ＋ 53 ＝ □

この数字は？

成田国際空港（新東京国際空港）がオープンし、3人組アイドル・キャンディーズが解散した年（昭和53年）。昭和の年に「1,925」を足すと、西暦に変換することができます。

④ 32 ＋ 7 ＝

⑤ 21 ＋ 6 ＝

⑥ 13 ＋ 6 ＝

⑦ 26 ＋ 23 ＝

⑧ 21 ＋ 15 ＝

⑨ 14 ＋ 35 ＝

⑩ 500 ＋ 47 ＝

⑪ 211 ＋ 53 ＝

⑫ 126 ＋ 523 ＝

⑬ 227 ＋ 161 ＝

⑭ 1,530 ＋ 310 ＝

⑮ 2,557 ＋ 40 ＝

⑯ 78 － 5 ＝

⑰ 89 － 3 ＝

⑱ 67 － 5 ＝

⑲ 90 － 30 ＝

⑳ 74 － 13 ＝

㉑ 87 － 52 ＝

㉒ 299 － 40 ＝

㉓ 479 － 53 ＝

㉔ 845 － 25 ＝

㉕ 378 － 206 ＝

㉖ 4,870 － 350 ＝

㉗ 8,845 － 235 ＝

㉘	㉙	㉚	㉛
24	21	200	510
5	15	43	107
60	51	106	62

㉜	㉝	㉞	㉟
78	68	123	880
11	－ 53	－ 13	102
－ 34	81	326	－ 151

答え
①47 ②634 ③1,978 ④39 ⑤27 ⑥19 ⑦49 ⑧36 ⑨49 ⑩547
⑪264 ⑫649 ⑬388 ⑭1,840 ⑮2,597 ⑯73 ⑰86 ⑱62 ⑲60
⑳61 ㉑35 ㉒259 ㉓426 ㉔820 ㉕172 ㉖4,520 ㉗8,610 ㉘89
㉙87 ㉚349 ㉛679 ㉜55 ㉝96 ㉞436 ㉟831

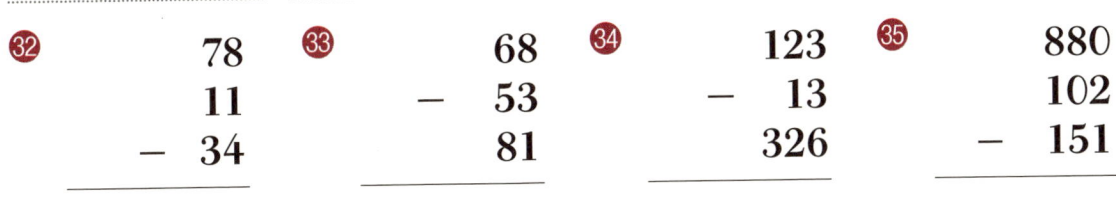

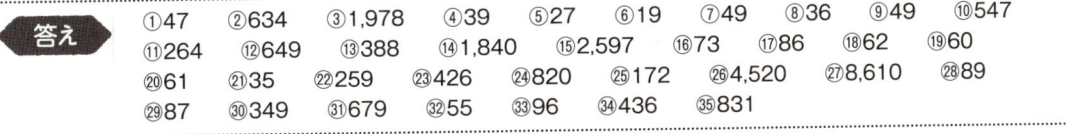

Lesson 6

5をつくる足し算

一玉をこれ以上足すことができないときは、5をつくる足し算をしましょう。
五玉を使って5を足してから、足しすぎた数を一玉から引きます。

その1　63+4の答えを求める

1
63をおきます。

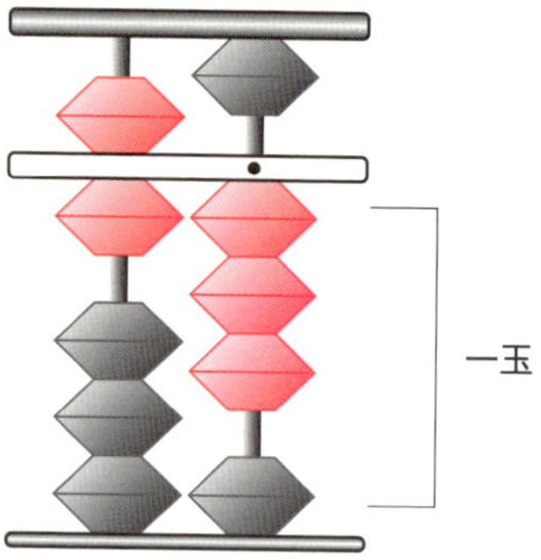

一玉があと1つしかないので、このままでは4が足せません。このようなときは5を足して、一玉から（5−4）の1を引きます。

2
いったん
5を足します

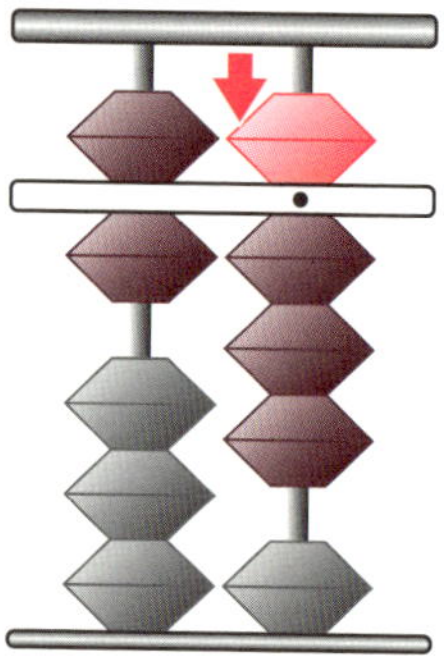

3
足しすぎた1を
引きます。

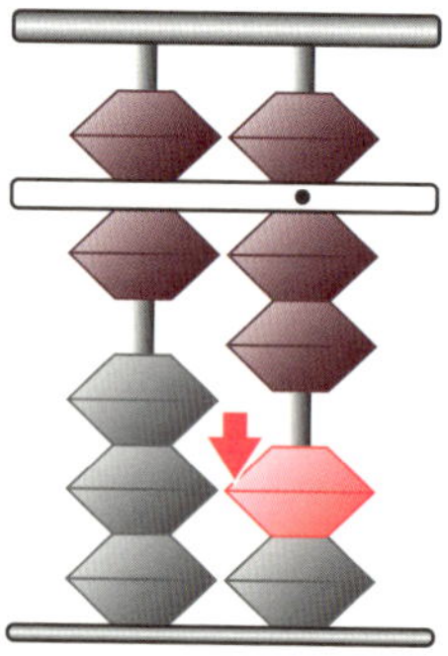

答え　67

最初は少しとまどいますが、慣れれば「4は、5を足して1を引く！」というように、自然に指が動くようになります。

一玉を足せないときは…

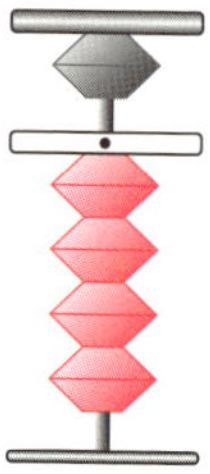

+1 → 5を足して 4を引く

+2 → 5を足して 3を引く

+3 → 5を足して 2を引く

+4 → 5を足して 1を引く

答え　①5　②6　③15　④68　⑤380

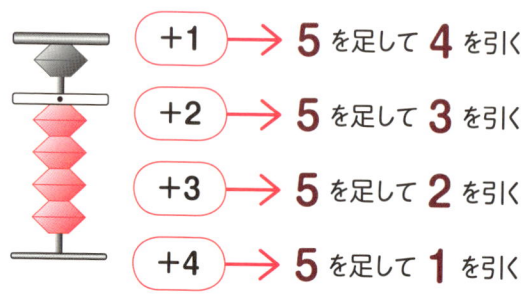

その2　23+31の答えを求める

❶
23をおきます。

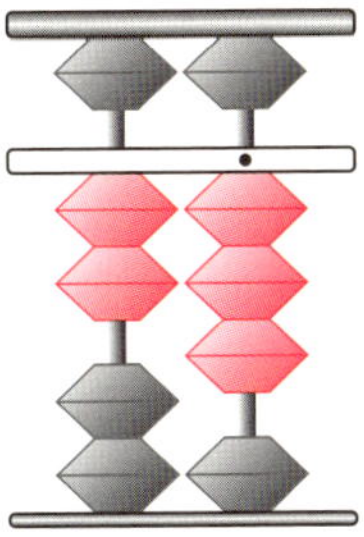

❷
十の位に3が足せないので、五玉を足して、一玉から（5−3）の2を引きます。

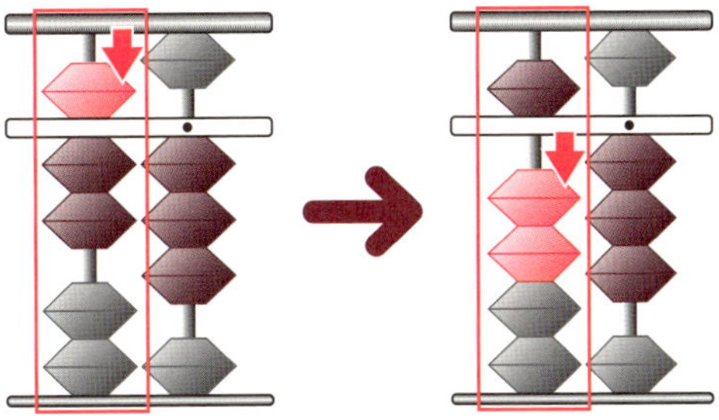

どんな桁数でも、一玉が足りないときは五玉を足して、足しすぎた数を一玉から引くのは同じです。

❸
一の位に1を足します。

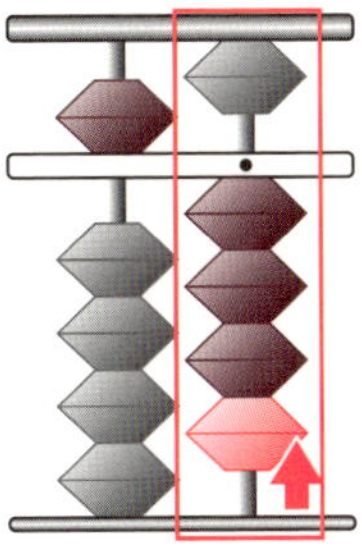

答え　54

その3　532+43の答えを求める

❶
532をおきます。

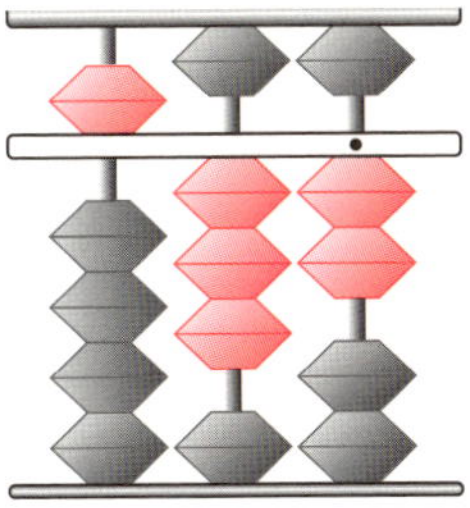

❷
十の位に4が足せないので、五玉を足して、一玉から（5−4）の1を引きます。

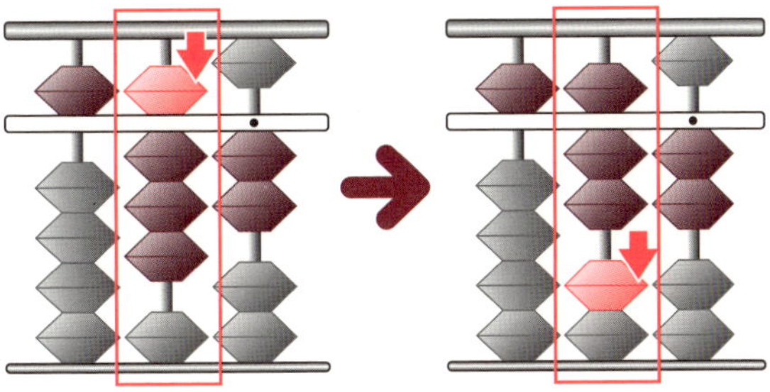

❸
一の位に3が足せないので、五玉を足して、一玉から（5−3）の2を引きます。

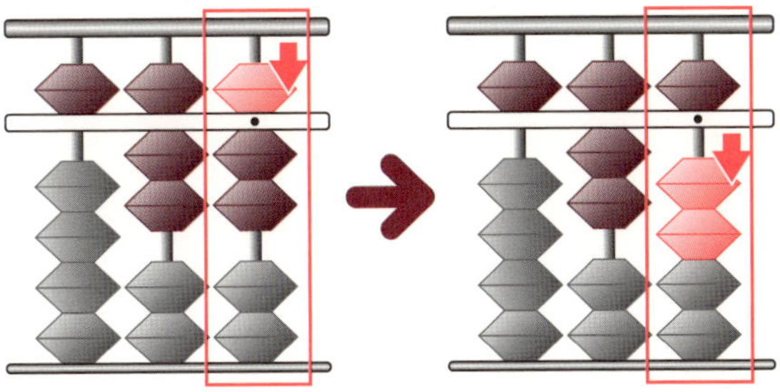

答え　575

この問題は、十の位と一の位の2回、5をつくる計算が必要です。間違えないよう慎重に！

練習問題（答えはP26）

❶　4＋1　＝

❷　3＋3　＝

❸　13＋2　＝

❹　45＋23　＝

❺　340＋40　＝

Lesson 7

5から引く引き算

一玉から引けないときは、五玉から引きます。
5から引く引き算の答えを足してから、最後に五玉を引きます。

その1　87−4の答えを求める

1

87をおきます。

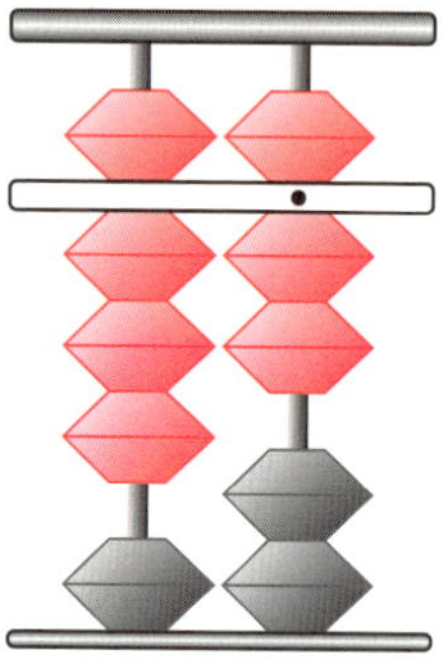

一の位で引ける一玉は2つしかないので、このままでは4が引けません。こんなときは、先に5から4を頭の中で引き、答えの1を一玉に足してから、五玉を引きます。

2

(5−4) を考え、
1を足します。

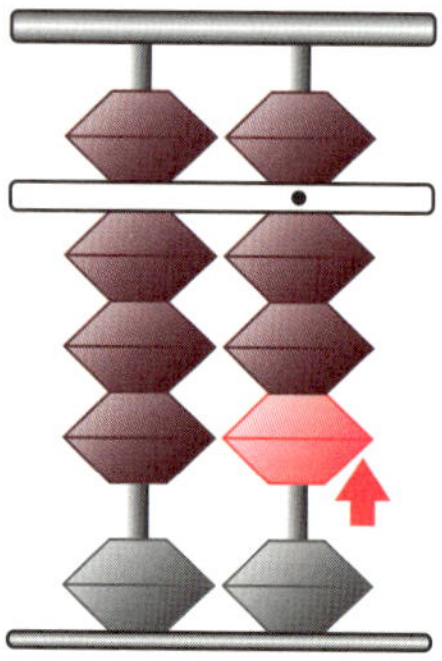

3

最後に五玉を
引きます。

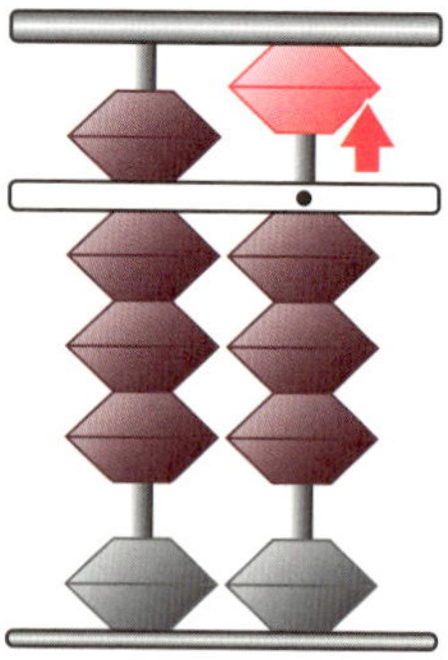

答え **83**

5をつくる足し算（P26）とは逆に、先に（5−□）の答えを足してから五玉を引きます。間違えないで！

一玉から引けないときは…

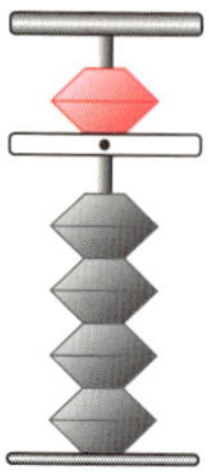

−1 → 4 を足して 5 を引く
−2 → 3 を足して 5 を引く
−3 → 2 を足して 5 を引く
−4 → 1 を足して 5 を引く

その2　68−26の答えを求める

1 68をおきます。

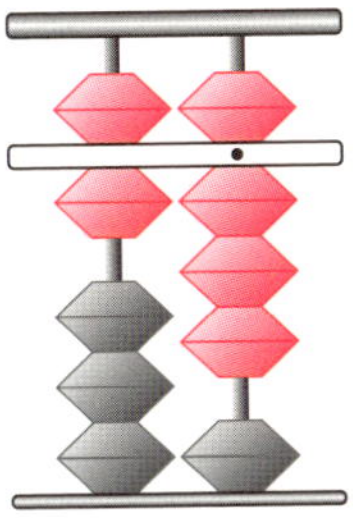

2 十の位から2が引けないので、(5−2)の3を足してから、五玉を引きます。

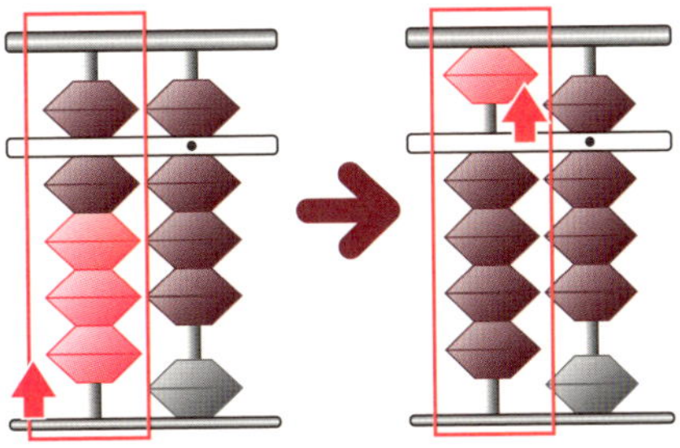

3 一の位から6を引きます。

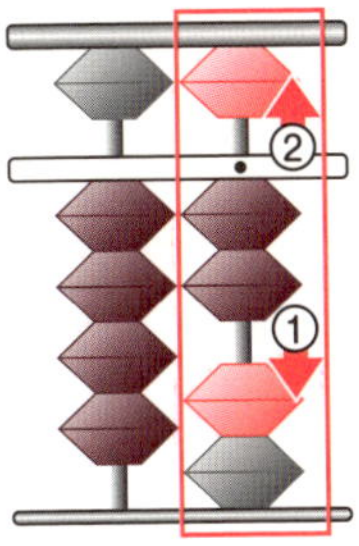

答え **42**

慣れてきたら、親指で3を足すと同時に、人さし指で5を引く方法もあります。

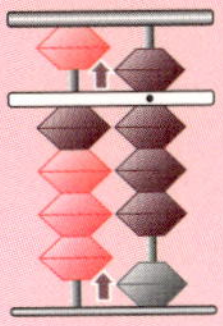

その3　574−432の答えを求める

1 574をおきます。

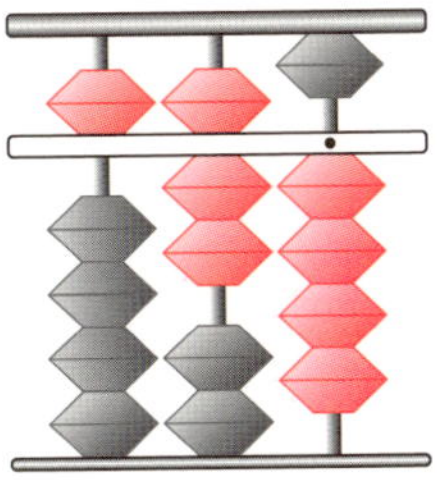

2 百の位から4が引けないので、(5−4)の1を足してから、五玉を引きます。

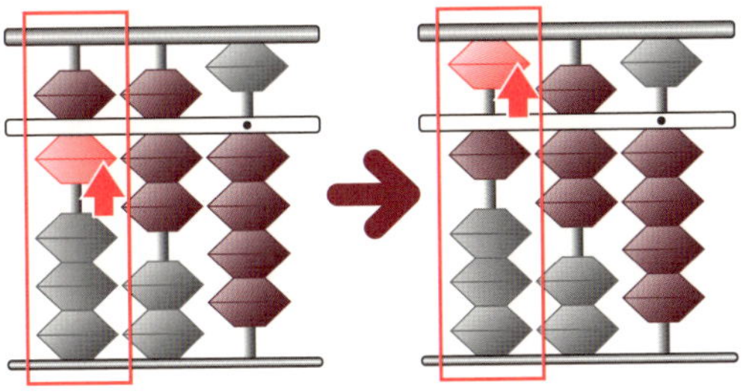

百の位と十の位の2回、5から引く計算をします。1桁ずつ考えれば難しくありませんよ！

3 十の位から3が引けないので、(5−3)の2を足してから、五玉を引きます。

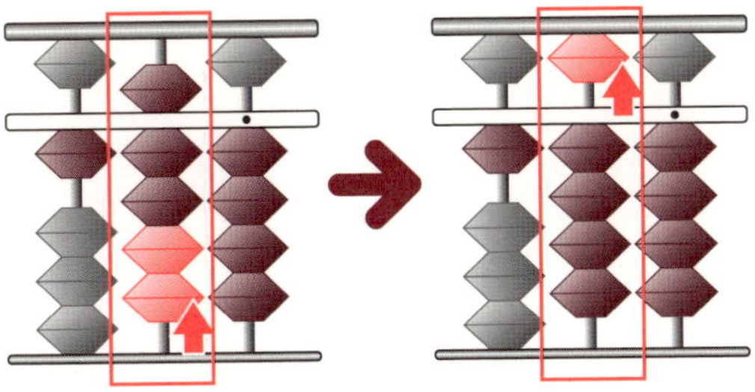

4 一の位から2を引きます

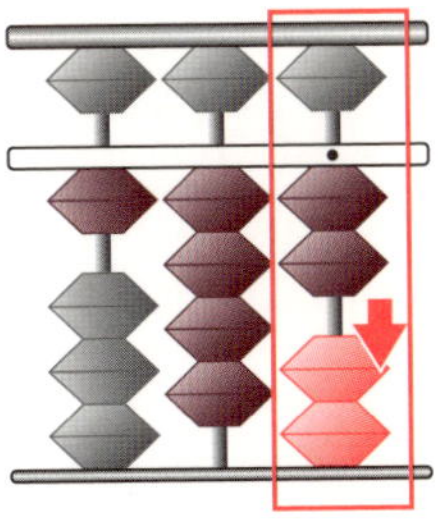

答え **142**

練習問題 (答えはP28)

❶ 8 − 4 ＝

❷ 5 − 2 ＝

❸ 16 − 2 ＝

❹ 74 − 30 ＝

❺ 570 − 430 ＝

Let's Challenge!

5をつくる足し算 5から引く引き算

答えはP31下

5をつくる足し算・5から引く引き算の練習です。
やり方がわからなくなったら、Lesson6（P26）、Lesson7（P28）で復習しましょう。

❶ 13 ＋ 4 ＝ □

この数字は？

ユネスコの世界遺産に登録されている、日本国内の世界遺産の数（2013年時点）。文化遺産は「法隆寺地域の仏教建造物」をはじめ13件、自然遺産は「屋久島」をはじめ4件が登録されています。

❷ 3,776 − 2,305 ＝ □

この数字は？

富士山の登山道スタート地としてもっとも人気の高い「吉田ルート5合目」から、富士山頂までの高低差（単位はm）。ちなみに登山道は約8km（片道）、登頂には約7時間ほどかかります。

❸ 486 ＋ 402 ＝ □

この数字は？

一般的なしょうゆラーメン※と焼きギョーザ※（8個）を食べた総カロリー。この組み合わせだと高カロリーでメタボになるかも。健康のためにも、食生活には気をつけて！

※『毎日の食事のカロリーガイド』（女子栄養大学出版部）参考

④ 14 ＋ 3 ＝

⑤ 72 ＋ 4 ＝

⑥ 45 ＋ 30 ＝

⑦ 32 ＋ 25 ＝

⑧ 23 ＋ 31 ＝

⑨ 324 ＋ 45 ＝

⑩ 103 ＋ 62 ＝

⑪ 420 ＋ 160 ＝

⑫ 255 ＋ 413 ＝

⑬ 184 ＋ 204 ＝

⑭ 1,340 ＋ 4,020 ＝

⑮ 1,452 ＋ 3,324 ＝

⑯ 26 − 3 ＝

⑰ 58 − 4 ＝

⑱ 64 − 33 ＝

⑲ 72 − 31 ＝

⑳ 88 − 14 ＝

㉑ 374 − 44 ＝

㉒ 557 − 13 ＝

㉓ 728 − 413 ＝

㉔ 462 − 230 ＝

㉕ 886 − 141 ＝

㉖ 3,450 − 1,130 ＝

㉗ 5,719 − 2,504 ＝

㉘	㉙	㉚	㉛
33	43	231	13
4	11	22	440
52	30	105	123

㉜	㉝	㉞	㉟
54	72	476	956
− 42	− 41	− 130	− 823
6	25	− 203	135

答え
①17 ②1,471 ③888 ④17 ⑤76 ⑥75 ⑦57 ⑧54 ⑨369 ⑩165
⑪580 ⑫668 ⑬388 ⑭5,360 ⑮4,776 ⑯23 ⑰54 ⑱31 ⑲41 ⑳74
㉑330 ㉒544 ㉓315 ㉔232 ㉕745 ㉖2,320 ㉗3,215 ㉘89 ㉙84
㉚358 ㉛576 ㉜18 ㉝56 ㉞143 ㉟268

break time

そろばんの歴史

現在の日本のそろばんは、日本独自のものですが、
すぐれた計算用具である「そろばん」のルーツを探ってみると、紀元前までさかのぼります。

計算用具は紀元前からあった

　数を数える、計算をするということは、獲物や作物を物々交換する時代から必要なことでした。数を縄の結び目などで表し、数えていたりもしましたが、計算用具といえるものは、紀元前3000年頃、メソポタミア地方に住んでいる人たちが使っていた「砂そろばん」が始まりといえるでしょう。これは、砂の上に石を置いて計算するものでした。

　その後、計算用具は、時代とともにどんどん発達していきました。紀元前2500年頃になると、盤の上に線を引き、その上に玉（コインの形をしたもの）を並べて計算する「線そろばん」が、エジプト、ギリシャ、ローマなどで広く使われるようになっていきます。これはヨーロッパなどで長く使われたようですが、紀元前300～紀元前400年頃には、「溝そろばん」という、さらに進化したものがローマに出現します。盤の溝に計算する玉をはめ込んだ、今の4つ玉のそろばんと少し似ている計算用具です。

　この溝そろばんは、ローマからシルクロードを経て中国に渡ったといわれていますが、定かではありません。しかし、約1700年前の漢の時代の文献『数術記遺』に、溝そろばんに似たそろばんの記述があります。

中国独特の計算を行う算木

　中国では、長い間、中国独自の計算方法を「算木《さんぎ》」と呼ばれる計算用具を用いて行っていました。これは、赤と黒のマッチ棒のようなもので、足し算、引き算、掛け算、割り算のほか、さらに難しい方程式計算までもしていたといいます。

　中国の算木と、掛け算の九九は、日本にも渡来しました。九九はその読み方が歓迎されたのでしょうか、『万葉集』では、「十六」と書いて「しし」と読んだものなど、九九を表現したものがいくつかあります。ちなみに、これは、「四四　十六　しし　じゅうろく」を洒落て読んだものです。

　中国に「算盤」という言葉が出てくるのは、1366年、元の時代に書かれたとされる書物です。そこに記された算盤は、軸に玉を通した、現在のそろばんに近いものと思われます。この頃には、中国でも庶民の生活の間で、そろばんが広く普及していたようです。

日本に伝わったのは室町時代

中国から日本にそろばんが渡ってきたのは、16世紀の終わりの室町時代。

日本に現存する最も古いそろばんは、豊臣秀吉が朝鮮に兵を進めた文禄の役（1592年）でお供をした前田利家が、肥前名護屋（佐賀県）の陣中で使用したといわれているものです。

そして、日本で最も古いそろばんの本とされるのは、毛利重能の『割算書』（1622年）、『算用書』。『算用書』の刊行年は不明ですが、『割算書』より古いといわれています。

なお、中国から伝わったそろばんは、現在のものと異なり、五玉が2つ、一玉が5つの形状をしていました。

江戸時代になると庶民にも広く普及

戦乱のない江戸時代は、商業がますます盛んになり、計算の必要性も高まっていきました。そして、商人はもちろん、武士、庶民の間にも、そろばんは広く普及していきました。子どもたちも寺子屋で「読み・書き・そろばん」を習うようになります。そろばんは身近な計算用具として、生活の中に溶け込んでいったのです。

江戸時代のそろばんは、中国から伝わった五玉が2つ、一玉が5つの形状をしていました。明治時代になると、五玉が1つ、一玉5つになり、現在の五玉1つ、一玉4つになったのは、昭和に入ってからです。これは、十進法での計算をしやすいようにしたものです。このように、日本では、独自にそろばんを改良し、すぐれた計算用具に進化させていったのです。

西洋と東洋では数の表示が異なった

紀元前に生まれた、そろばんのルーツといえる「線そろばん」は、横に線を引き、手前を一の位、その上を十の位とし、5は一の位と十の位の中間として玉を置いていました。つまり、玉をバラにして置いていく方法です。一方、5を補助単位としたのは東洋も同じですが、玉を線の上ではなく、串に刺しました。そうすることで、例えば7は、5と2を同じ位置に表示できます。ところが、西洋の数の置き方では、それができません。このように数を横にして表示した西洋の線そろばんは、筆算が台頭してくると消滅していきますが、東洋では筆算と共存を続け、現在に至ります。数を表現し、計算できるものとして、いかに優れているかがわかるでしょう。

Lesson 8

10をつくる足し算

7＋8のように、1つの位だけで入りきらないときは、
「足すと10になる数」を引いてから10を足します。

その1 27＋9の答えを求める

1
27をおきます。

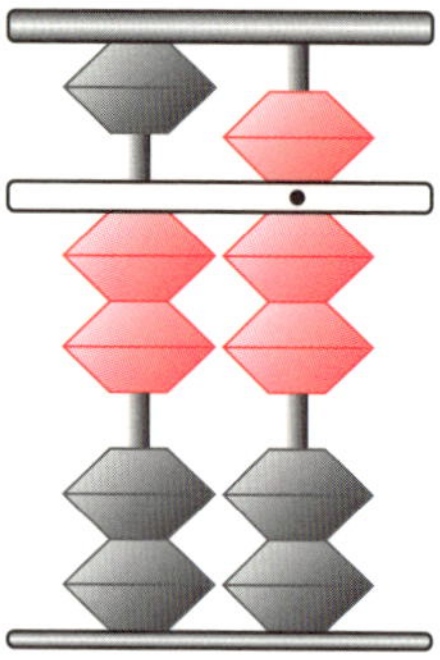

一の位の7に9は足せません。このようなときは、「足すと10になる数」の1を一の位から引いて、代わりに10を足します。これを**繰り上がり**といいます。

2
9に足すと10になる数1を引きます。

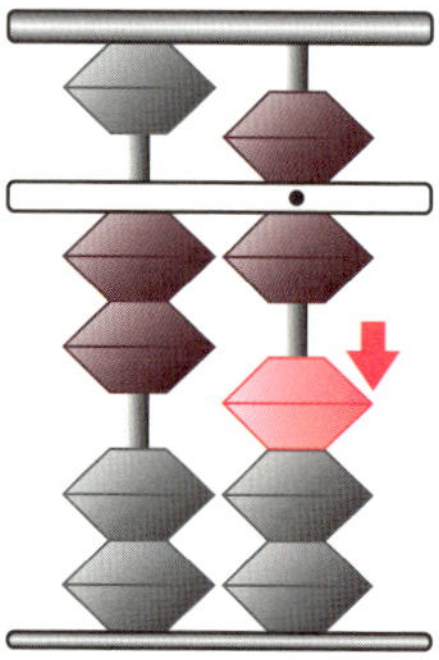

3
最後に10を足します。

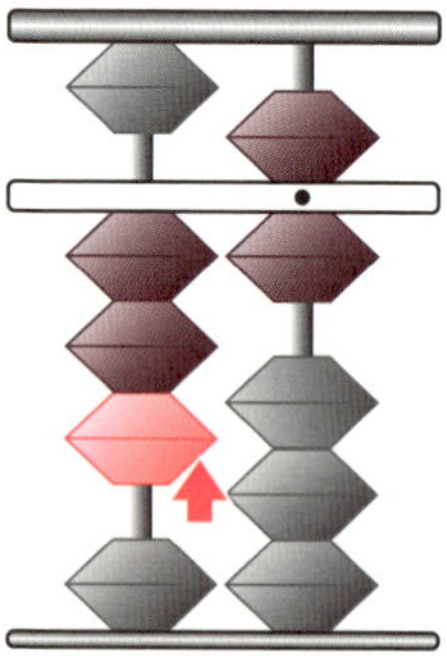

答え **36**

「7なら3」「4なら6」といったように、足すと10になる数が自然と頭に浮かぶようになるまで練習あるのみです！

1つの位だけでは、足せないとき…

- ＋9 → **1** を引いて **10** を足す
- ＋8 → **2** を引いて **10** を足す
- ＋7 → **3** を引いて **10** を足す
- ＋6 → **4** を引いて **10** を足す
- ＋5 → **5** を引いて **10** を足す
- ＋4 → **6** を引いて **10** を足す
- ＋3 → **7** を引いて **10** を足す
- ＋2 → **8** を引いて **10** を足す
- ＋1 → **9** を引いて **10** を足す

答え ①25 ②31 ③101 ④130 ⑤221

その2　76＋54の答えを求める

1
76をおきます。

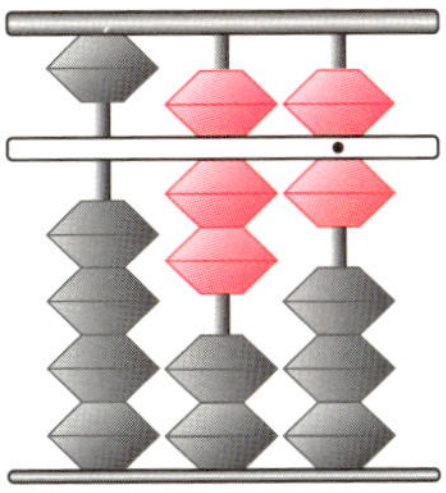

2
十の位に5が足せないので、5に足すと10になる数5を引き、隣の百の位に1（100）を足します。

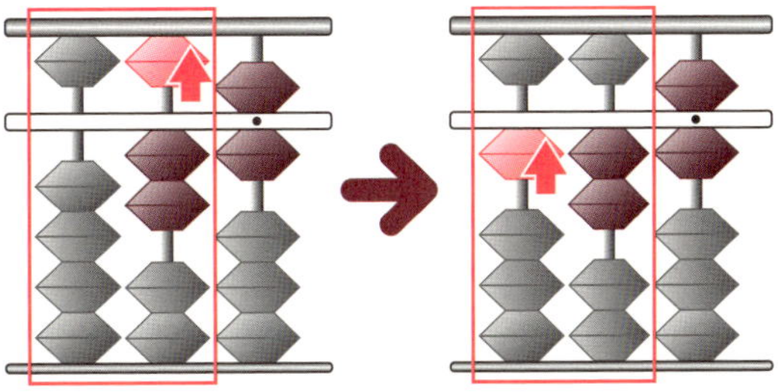

3
一の位に4が足せないので、4に足すと10になる数6を引き、10を足します。

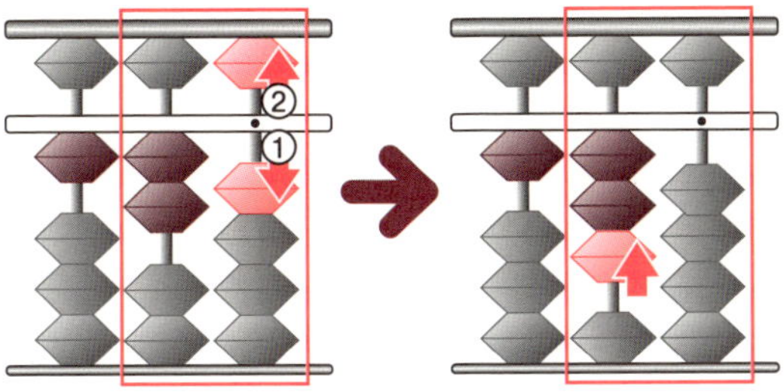

答え　**130**

その3　279＋86の答えを求める

1
279をおきます。

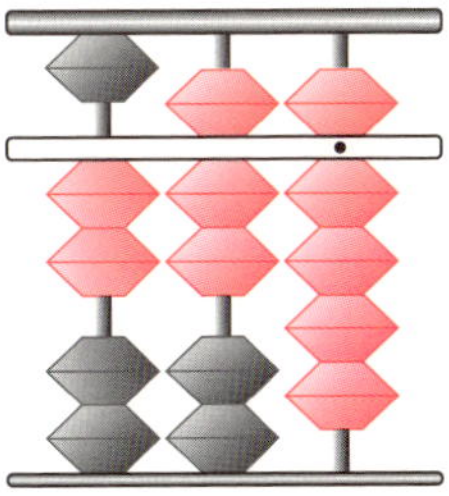

2
十の位に8が足せないので、8に足すと10になる2を引き、隣の百の位に1（100）を足します。

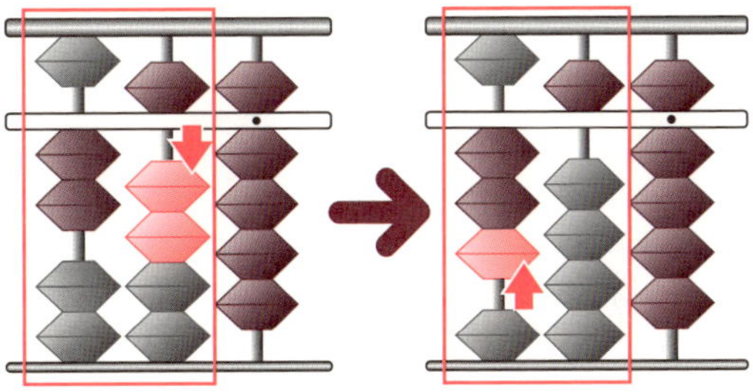

3
一の位に6が足せないので、6に足すと10になる数4を引き、10を足します。

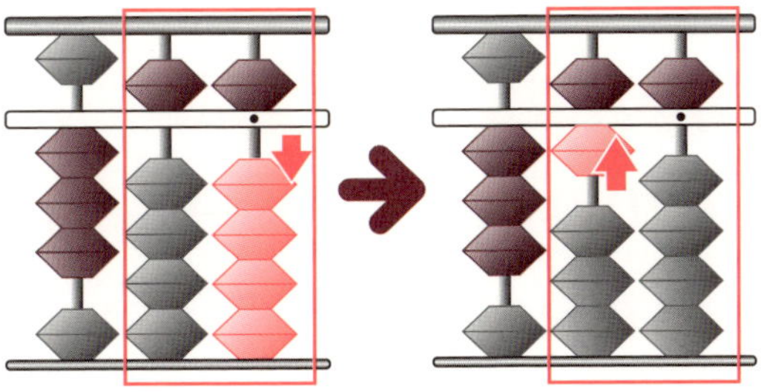

答え　**365**

繰り上がりがある場合、常に足すと10になる数（2と8、3と7など）を頭に浮かべて計算しましょう。

練習問題（答えはP34）

❶ 17＋8　＝
❷ 22＋9　＝
❸ 71＋30　＝
❹ 75＋55　＝
❺ 124＋97　＝

Lesson 9

10から引く引き算

12−3のように、一の位だけでは引けないときは、
10を引いてから、引きすぎた数を足します。

その1　23−9の答えを求める

1

23をおきます。

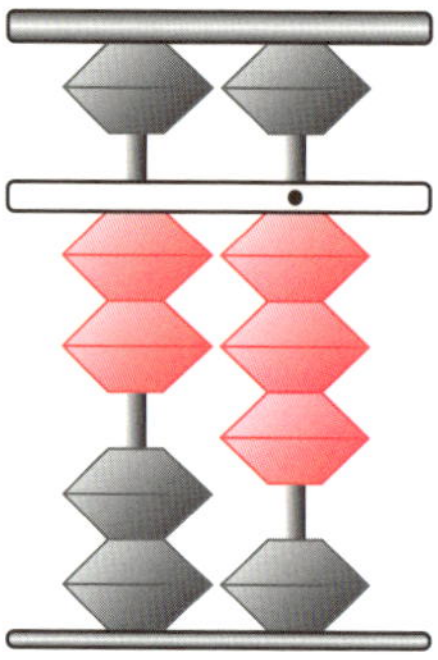

一の位から9は引けないので、まず10を引いてから、引きすぎた1を足します。これを**繰り下がり**といいます。

2

3から9は引けないので、まず10を引きます。

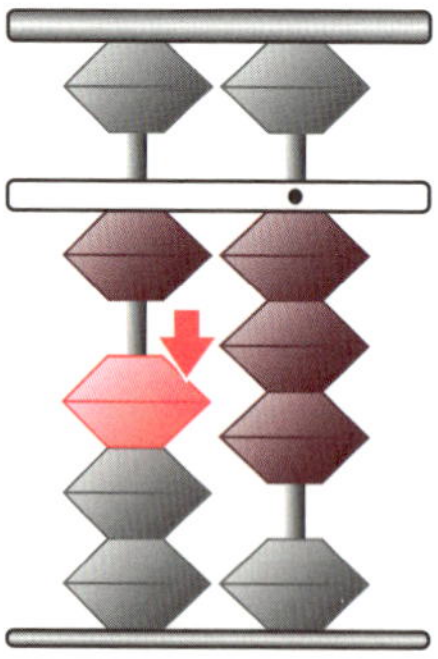

3

10から9を引いた残りの1を足します。

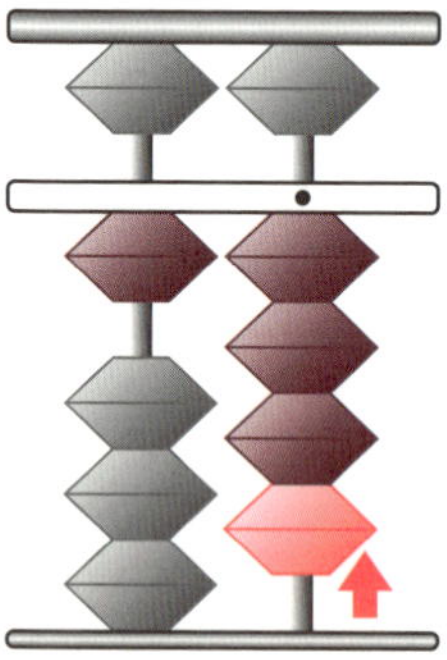

答え　**14**

10をつくる足し算（P34）と同様、10を引いて足す数が自然と頭に浮かぶようになるまで、繰り返し練習しましょう。

1つの位だけでは引けないとき…

- −9 → 10を引いて1を足す
- −8 → 10を引いて2を足す
- −7 → 10を引いて3を足す
- −6 → 10を引いて4を足す
- −5 → 10を引いて5を足す
- −4 → 10を引いて6を足す
- −3 → 10を引いて7を足す
- −2 → 10を引いて8を足す
- −1 → 10を引いて9を足す

答え　①19　②34　③330　④191　⑤137

その2 726−87の答えを求める

❶ 726をおきます。

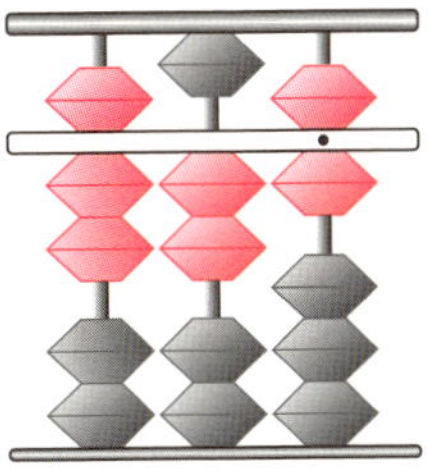

❷ 十の位から80が引けないので、隣の百の位から100を引いてから、引きすぎた20を足します。

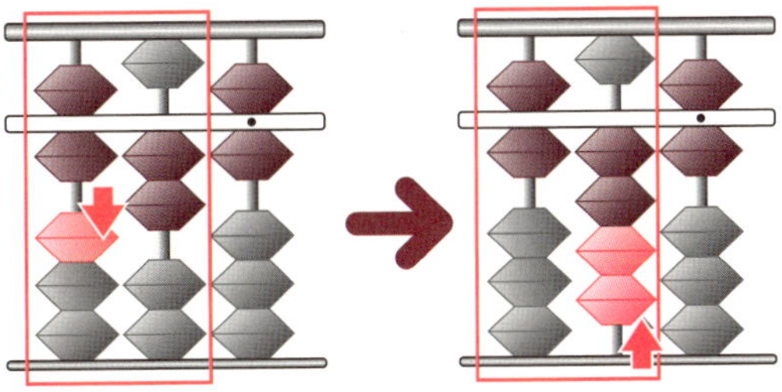

❸ 一の位から7が引けないので、まず10を引き、10から7を引いた残りの3を足します。

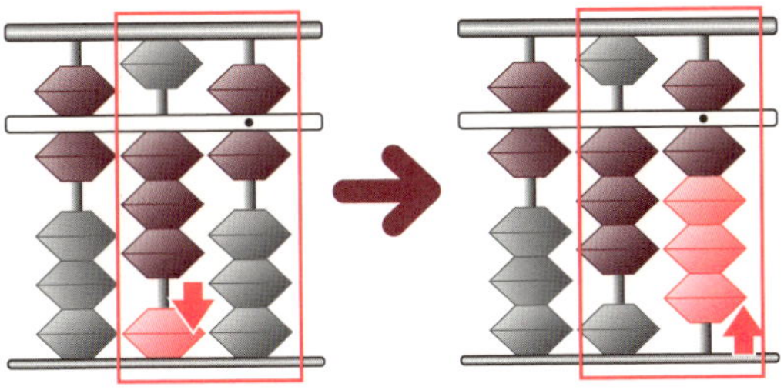

答え 639

桁が増えても考え方は同じ！ 計算する桁に注目し、10を引いて残りを足せばいいんです！

その3 632−93の答えを求める

10から引く引き算を2回繰り返します。慣れれば自然と指が動くようになります。

❶ 632をおきます。

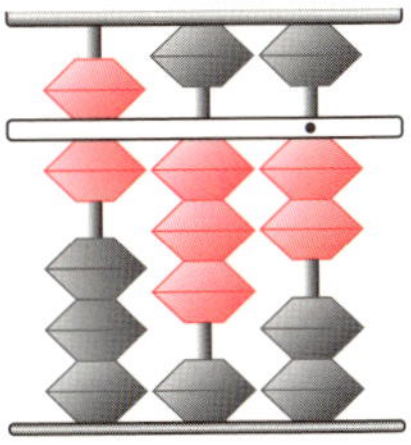

❷ 十の位から90が引けないので、隣の百の位から100を引いてから、引きすぎた10を足します。

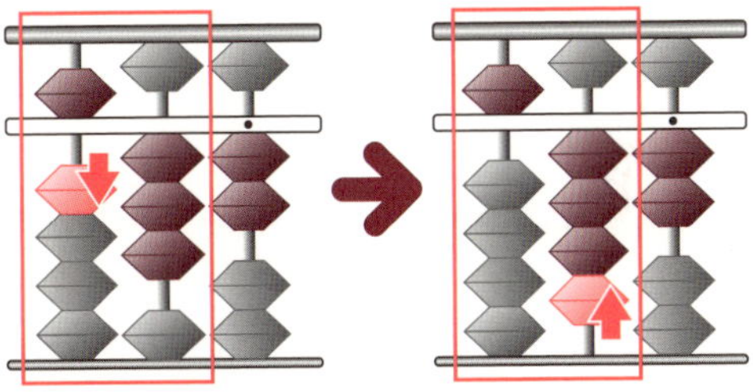

❸ 一の位から3が引けないので、まず10を引き、10から3を引いた残りの7を足します。

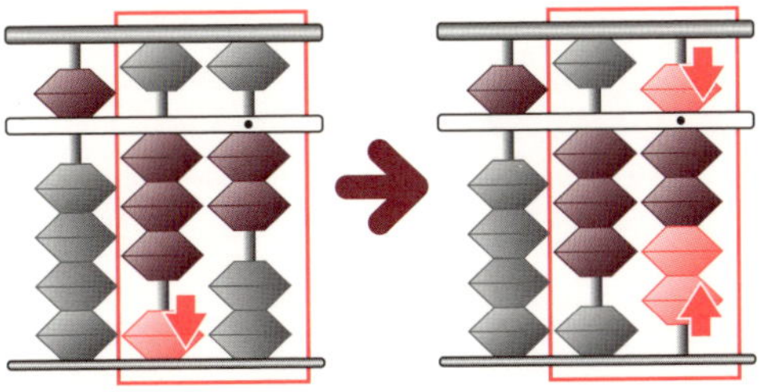

答え 539

練習問題 (答えはP36)

❶ 22 − 3 ＝

❷ 41 − 7 ＝

❸ 415 − 85 ＝

❹ 283 − 92 ＝

❺ 322 − 185 ＝

Let's Challenge!

10をつくる足し算 10から引く引き算

答えはP39下

10をつくる足し算（P34）と、10から引く引き算（P36）の練習です。加えて、5をつくる足し算、5から引く引き算を含んだ計算ができれば、足し算・引き算はもう完璧です。

❶ 18 ＋ 5 ＝ □

この数字は？

東北新幹線の駅の数です。東京ー盛岡までは18駅。2002年、盛岡ー八戸が開業し、2010年八戸ー新青森間が開業しました。全線開業は大宮ー盛岡間の開業から28年後のことでした。

❷ 103 − 39 ＝ □

この数字は？

明治45年（1912）に建てられた当時の大阪・通天閣の高さ（単位はm）。火災によって解体されましたが、市民の要請で昭和31年（1956）に再建。現在の高さは103mです。

❸ 7 ＋ 12 ＋ 5 ＝ □

この数字は？

背骨の骨の数。S字のカーブを描く背骨は、上から7個の頸椎、12個の胸椎、5個の腰椎の骨から成り立っています。姿勢が悪いときれいなS字にならず、老けてみえるので気をつけて。

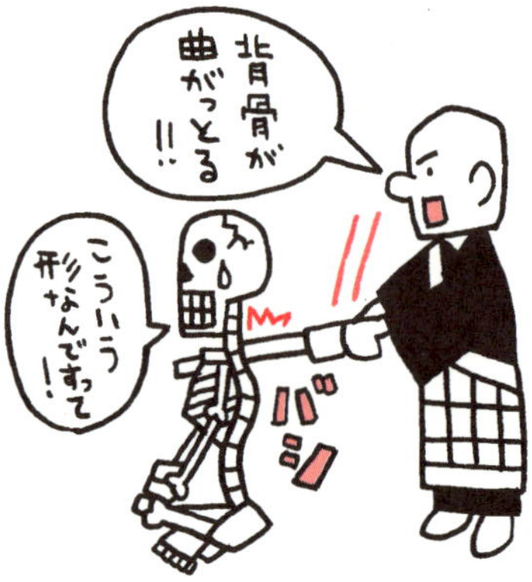

❹ 52 ＋ 9 ＝

❺ 21 ＋ 89 ＝

❻ 143 ＋ 49 ＝

❼ 913 ＋ 69 ＝

❽ 671 ＋ 43 ＝

❾ 169 ＋ 46 ＝

❿ 938 ＋ 605 ＝

⓫ 323 ＋ 742 ＝

⓬ 598 ＋ 320 ＝

⓭ 716 ＋ 275 ＝

⓮ 2,796 ＋ 134 ＝

⓯ 7,409 ＋ 329 ＝

⓰ 22 − 3 ＝

⓱ 35 − 7 ＝

⓲ 415 − 77 ＝

⓳ 618 − 22 ＝

⓴ 412 − 45 ＝

㉑ 530 − 392 ＝

㉒ 408 − 147 ＝

㉓ 241 − 123 ＝

㉔ 841 − 432 ＝

㉕ 455 − 238 ＝

㉖ 3,063 − 470 ＝

㉗ 9,527 − 948 ＝

㉘	㉙	㉚	㉛
86	67	52	434
21	43	− 34	926
− 74	− 21	28	− 410

㉜	㉝	㉞	㉟
485	288	315	2,986
284	903	− 190	5,623
− 164	− 501	412	− 718

答え
①23 ②64 ③24 ④61 ⑤110 ⑥192 ⑦982 ⑧714 ⑨215 ⑩1,543
⑪1,065 ⑫918 ⑬991 ⑭2,930 ⑮7,738 ⑯19 ⑰28 ⑱338 ⑲596
⑳367 ㉑138 ㉒261 ㉓118 ㉔409 ㉕217 ㉖2,593 ㉗8,579 ㉘33
㉙89 ㉚46 ㉛950 ㉜605 ㉝690 ㉞537 ㉟7,891

Lesson 10

7+6／47+3／45+9／95+5など 繰り上がりのある足し算

「10をつくる足し算」、「5をつくる足し算」、
「5から引く引き算」を組み合わせて行います。

その1 7+6の答えを求める

1 7をおきます。

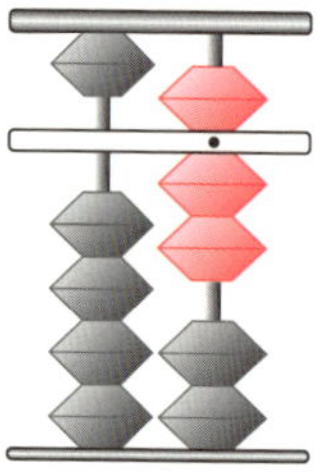

2 6に足すと10になる4を引きます。一玉から4が引けないので、(5−4)の1を足してから五玉を引きます。

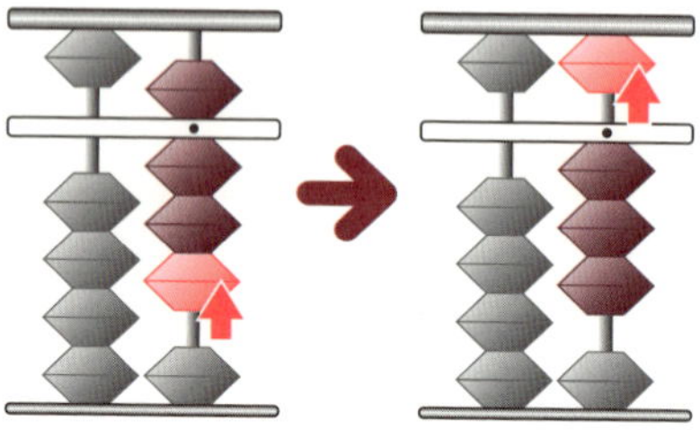

3 最後に10を足します。

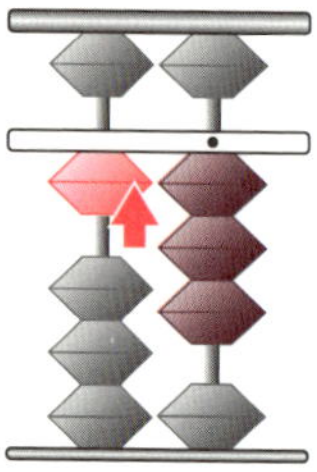

答え 13

10をつくる足し算で一玉から数を引けないときは、5から引く引き算をして、10を足します。「10をつくる」「5から引く」を同時に行います。

その2 47+3の答えを求める

1 47をおきます。

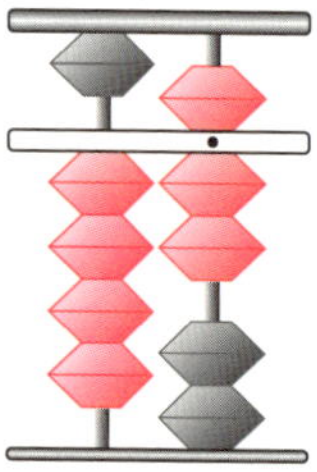

2 3に足すと10になる7を引きます。

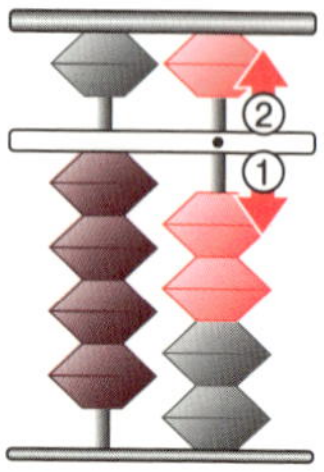

38+12、25+25など、50をつくる足し算は同様に行います。

3 最後に10を足します。一玉が足せないので、五玉(50)を足して、一玉から(50−10)の40を引きます。

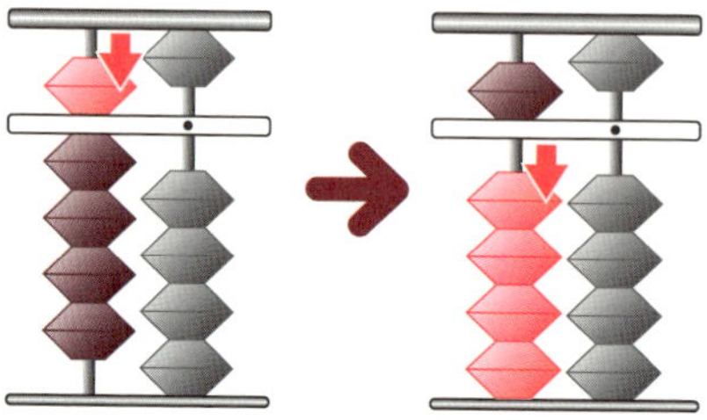

答え 50

答え ①13 ②50 ③24 ④51 ⑤100

その3　45+9の答えを求める

1 45をおきます。

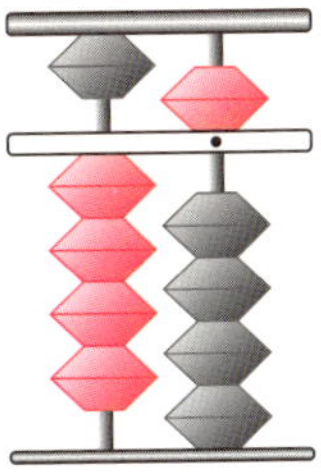

2 9に足すと10になる1を引きます。一玉から1が引けないので、(5−1)の4を足してから五玉を引きます。

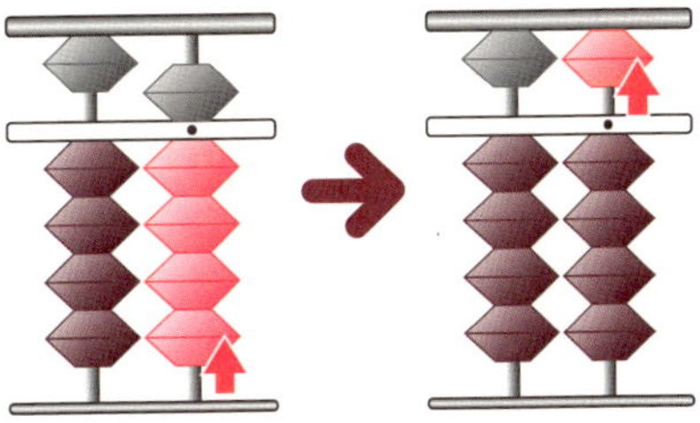

3 最後に10を足します。一玉が足せないので、五玉(50)を足して、一玉から(50−10)の40を引きます。

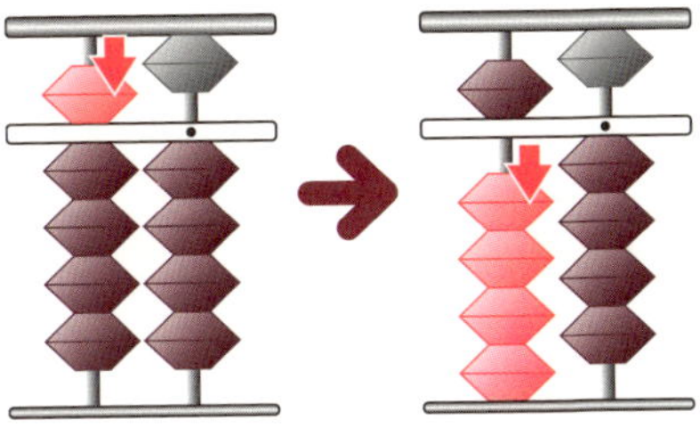

最後に10を足すとき、十の位の一玉が足りなければ、「50をつくる足し算」をしましょう。

答え **54**

その4　95+5の答えを求める

5を足す場合、足すと10になる数の5を引いて、10を足すことを繰り返します。100をつくる足し算は同様に行います。

1 95をおきます。

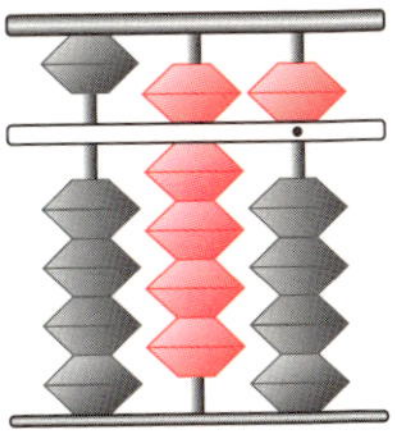

2 5に足すと10になる5を引きます。

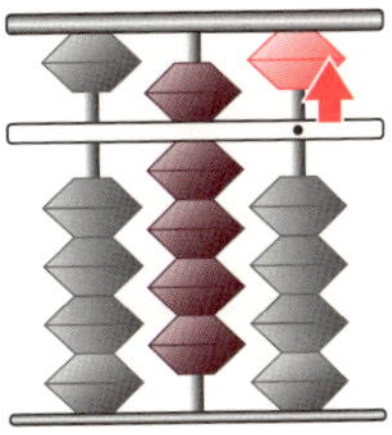

3 最後に10を足します。十の位に10が足せないので、10を足すと100になる90を引き、100を足します。

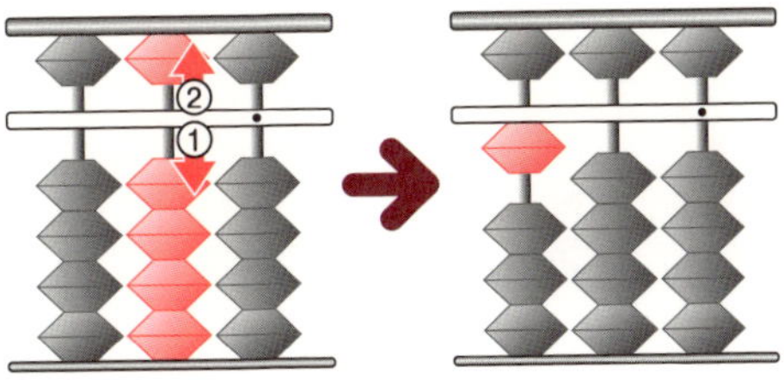

答え **100**

練習問題 (答えはP40)

❶ 5 + 8 =

❷ 35 + 15 =

❸ 15 + 9 =

❹ 45 + 6 =

❺ 91 + 9 =

Lesson 11

14−9／52−7／54−8／104−7など 繰り下がりのある引き算

「10から引く引き算」、「5をつくる足し算」「5から引く引き算」を組み合わせて同時に行います。

その1 14−9の答えを求める

❶ 14をおきます。

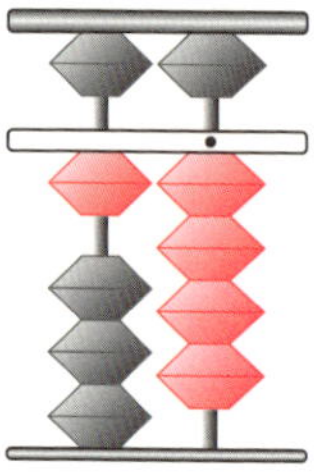

❷ 4から9は引けないので、まず10を引きます。

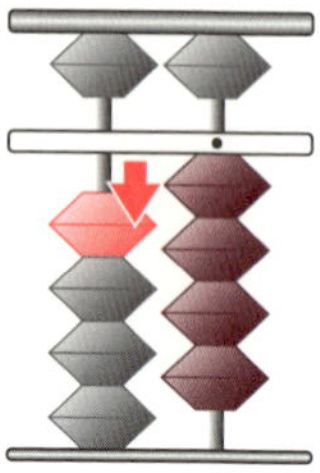

まず「10から引く引き算」をし、次に「5をつくる足し算」をします。

❸ 10から9を引いた1を足しますが、一玉では足せないので、五玉を足してから一玉から（5−1）の4を引きます。

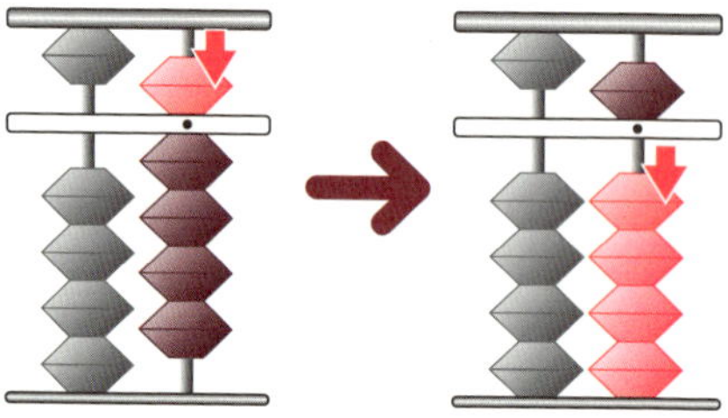

答え 5

その2 52−7の答えを求める

❶ 52をおきます。

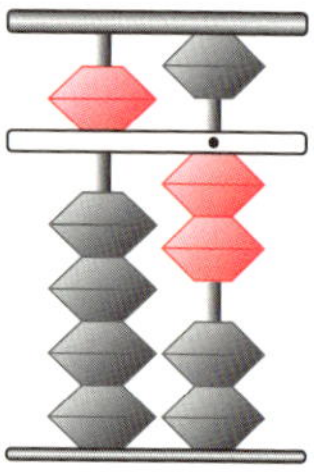

❷ 2から7は引けないので、まず50から10を引きます。一玉から10が引けないので、（50−10）の40を足してから、五玉を引きます。

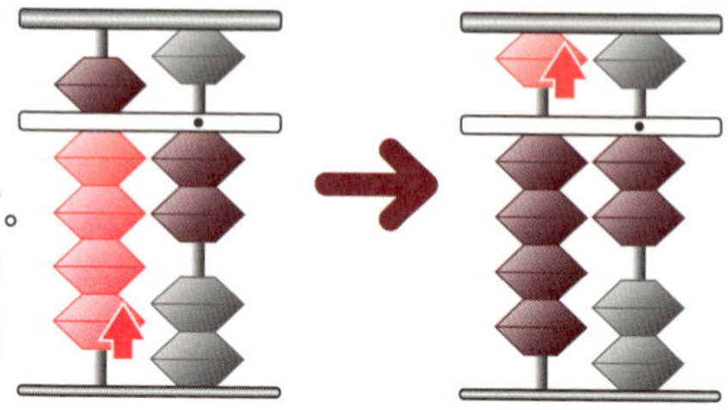

❸ 10から7を引いた3を足しますが、一玉では足せないので、五玉を足してから一玉から（5−3）の2を引きます。

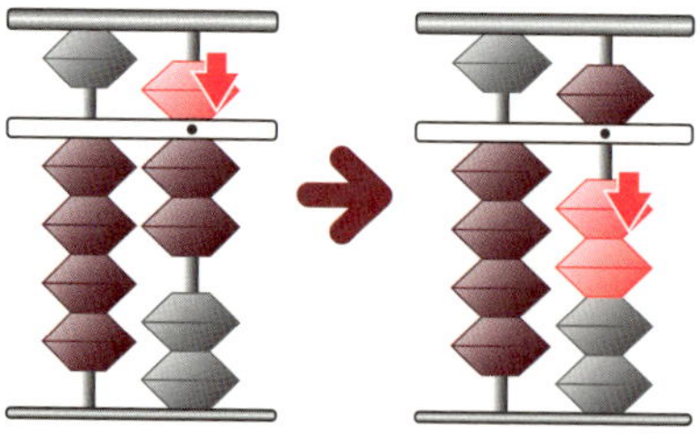

答え 45

「50から引く引き算」をし、次に「5をつくる足し算」をします。

答え ①8 ②6 ③46 ④47 ⑤94

その3 54−8の答えを求める

❶ 54をおきます。

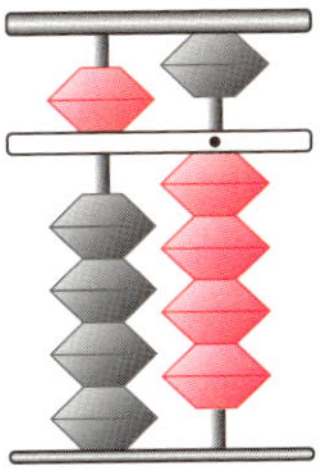

❷ 4から8は引けないので、まず50から10を引きます。一玉から10が引けないので、(50−10) の40を足してから、五玉を引きます。

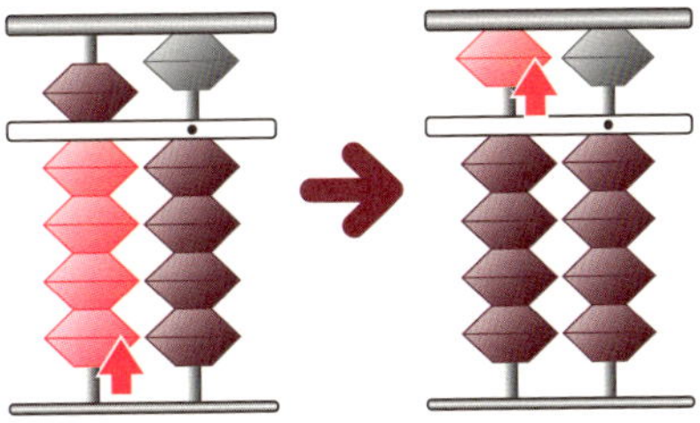

❸ 10から8を引いた2を足します。一玉では足せないので、五玉を足してから一玉から(5−2)の3を引きます。

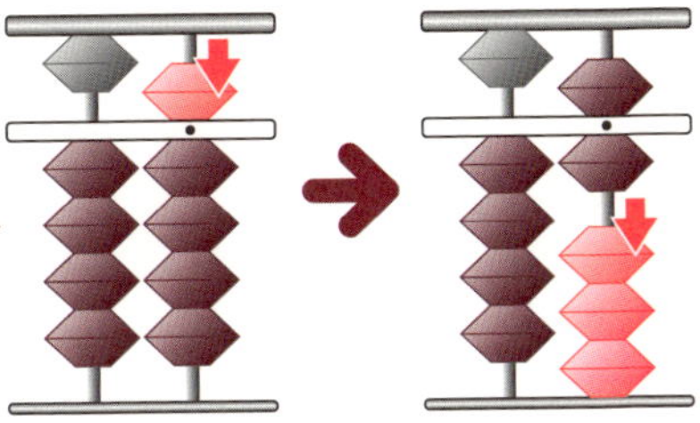

答え 46

「10から引く引き算」、「5をつくる足し算」を組み合わせます。

その4 104−7の答えを求める

引き算をしたい桁が0の場合、その左にある大きい位から引きます。

❶ 104をおきます。

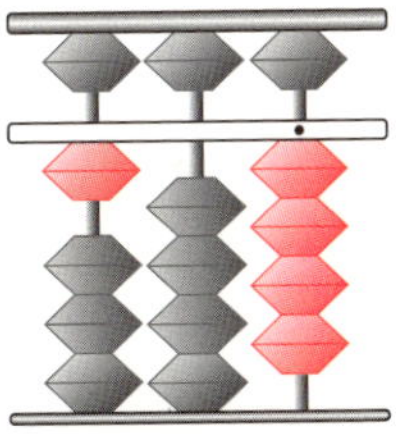

❷ 4から7は引けないので、まず10を引きます。十の位が0なので、100を引いてから、(100−10)の90を足します。

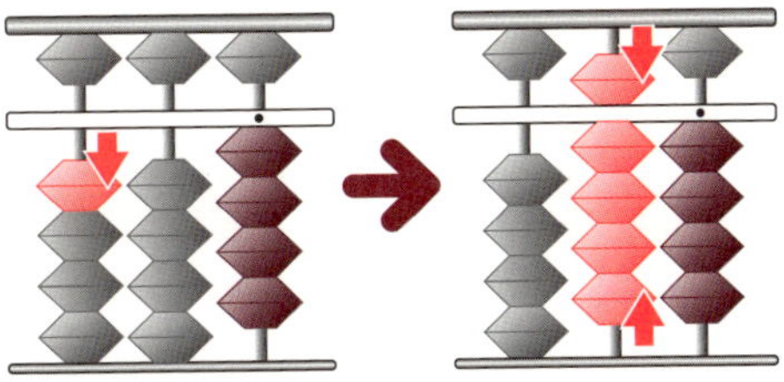

❸ 10から7を引いた3を足します。一玉では足せないので、五玉を足してから一玉から (5−3) の2を引きます。

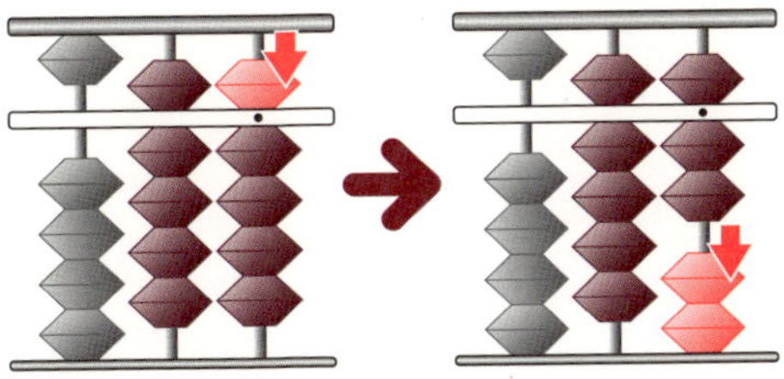

答え 97

練習問題 (答えはP42)

❶ 14 − 6 ＝

❷ 13 − 7 ＝

❸ 54 − 8 ＝

❹ 52 − 5 ＝

❺ 100 − 6 ＝

Let's Challenge!

繰り上がりのある足し算 繰り下がりのある引き算

答えはP45下

これまでの足し算、引き算の応用問題です。
やり方がわからなくなったら、Lesson10（P40）、Lesson11（P42）を復習しましょう。

❶ $15 + 6 =$

この数字は？

アメリカで飲酒できる年齢です。州によって例外はあるものの、多くの州ではこの数字の年齢になるまで、お酒を飲むことは禁止されています。日本より厳しいのは意外です。

❷ $12 - 6 =$

この数字は？

高血圧と診断されたときの1日の塩分摂取量（単位はg）。正確には、この数字未満です。塩分のとり過ぎは高血圧になるリスクを高めます。高血圧ではない人も、日頃から減塩を。

❸ $53 - 4 =$

この数字は？

国際電話をかけるときのドイツの国番号。ドイツへの国際電話はこの番号が必要です。ちなみに日本の国番号は81。そしてアメリカ合衆国（ハワイ諸島は除く）の国番号は1です。

④ 50 ＋ 90 ＝

⑤ 60 ＋ 80 ＝

⑥ 430 ＋ 80 ＝

⑦ 490 ＋ 40 ＝

⑧ 460 ＋ 80 ＝

⑨ 940 ＋ 60 ＝

⑩ 990 ＋ 30 ＝

⑪ 970 ＋ 70 ＝

⑫ 145 ＋ 55 ＝

⑬ 158 ＋ 62 ＝

⑭ 276 ＋ 38 ＝

⑮ 555 ＋ 460 ＝

⑯ 101 − 5 ＝

⑰ 102 − 3 ＝

⑱ 105 − 6 ＝

⑲ 110 − 60 ＝

⑳ 130 − 60 ＝

㉑ 140 − 80 ＝

㉒ 520 − 50 ＝

㉓ 530 − 40 ＝

㉔ 110 − 19 ＝

㉕ 204 − 97 ＝

㉖ 1,000 − 46 ＝

㉗ 1,040 − 72 ＝

㉘
$$\begin{array}{r} 16 \\ 38 \\ 62 \\ \hline \end{array}$$

㉙
$$\begin{array}{r} 28 \\ 36 \\ -\ 57 \\ \hline \end{array}$$

㉚
$$\begin{array}{r} 98 \\ -\ 24 \\ -\ 29 \\ \hline \end{array}$$

㉛
$$\begin{array}{r} 322 \\ -\ 96 \\ 36 \\ \hline \end{array}$$

㉜
$$\begin{array}{r} 136 \\ -\ 54 \\ -\ 35 \\ \hline \end{array}$$

㉝
$$\begin{array}{r} 465 \\ -\ 93 \\ 672 \\ \hline \end{array}$$

㉞
$$\begin{array}{r} 294 \\ -\ 87 \\ 95 \\ \hline \end{array}$$

㉟
$$\begin{array}{r} 352 \\ 649 \\ -\ 54 \\ \hline \end{array}$$

答え ①21 ②6 ③49 ④140 ⑤140 ⑥510 ⑦530 ⑧540 ⑨1,000 ⑩1,020 ⑪1,040 ⑫200 ⑬220 ⑭314 ⑮1,015 ⑯96 ⑰99 ⑱99 ⑲50 ⑳70 ㉑60 ㉒470 ㉓490 ㉔91 ㉕107 ㉖954 ㉗968 ㉘116 ㉙7 ㉚45 ㉛262 ㉜47 ㉝1,044 ㉞302 ㉟947

COLUMN ❷

そろばんが身につくと大きな数をすぐに読む・書くことができる！

あなたは、桁数の多い数字を頭から、スラスラと読めますか？　一の位から一、十、百、千、万……と、1つずつ数字を数えたりしていませんか？

位をパッと見定めることができることを「位取り」といいますが、そろばんにある3桁ごとの定位点が頭の中に入っていれば、3桁の区切りにあるカンマを見ただけで、大きな数字でも、一、十、百、千……と、後ろから位を数えなくても、頭からスラスラ数字を読むことができます。また、百万という数字を後ろから0を書くことなく、頭から数字とカンマを一緒に書くことができるようになります。

百万円には、0がいくつあるか、すぐに答えられますか？

そろばんで表すと…

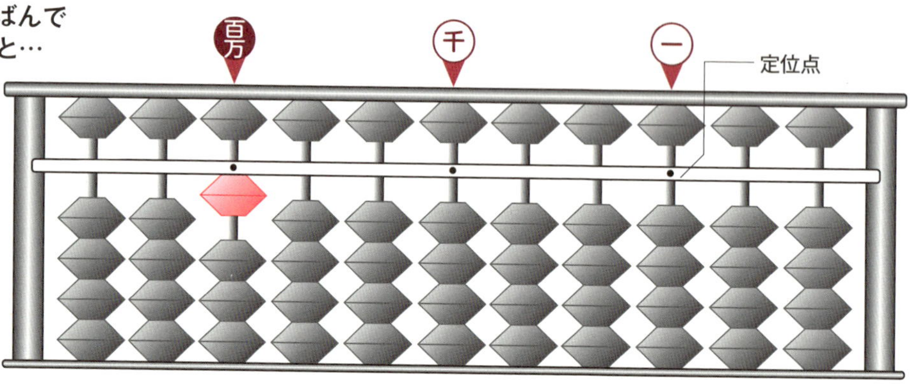

そろばんでおいた数字を書くと…

1,0 0 0,0 0 0

3桁の区切りにカンマが入ります。

答え　**0は6個**

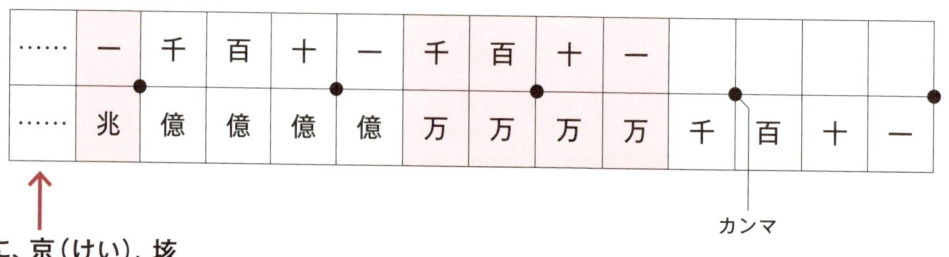

……	一	千	百	十	一	千	百	十	一				
……	兆	億	億	億	億	万	万	万	万	千	百	十	一

カンマ

ちなみに、京（けい）、垓（がい）、秭（じょ）…と続きます。

4章

九九を活用 掛け算

頭の中で九九をしながら、足し算をしていきます。
3桁の掛け算ができれば、桁数が多くなっても大丈夫。
慣れてくれば、そろばんでの計算が楽しくなるでしょう。

Lesson 12

掛け算を始める前に

そろばんの掛け算に欠かせないのが九九です。
九九を覚えるとき、例えば3の段なら「さざんがく」「さんしじゅうに」と覚えたと思いますが、
そろばんをする上で日本独自の九九の読み方がとても重要になってきます。

その1

九九の「が」は十の位を表す

子どもの頃に覚えた九九をよく思い出してみてください。九九の読み方で「が」が入っているものがあるはずです。じつは、「が」は十の位を表すもので、0（ゼロ）の役目もしています。

掛けられる数		掛ける数		十の位	一の位
2	×	2	＝	0	4
に		に		が	し

「が」が入らないものは

2	×	6	＝	1	2
に		ろく		じゅう	に

そろばんの数字をおくときに、「が」の入った九九の答えは、「0」が前につくと覚えておきます。

例

1 × 7 ＝ 0 7 ……> いんしちがしち

2 × 3 ＝ 0 6 ……> にさんがろく

3 × 3 ＝ 0 9 ……> さざんがく

4 × 2 ＝ 0 8 ……> しにがはち

答えが1桁になる九九の読み方には、すべて「が」が入っています。

［ 九九表 ］

		掛ける数								
		1	2	3	4	5	6	7	8	9
掛けられる数	1	01	02	03	04	05	06	07	08	09
	2	02	04	06	08	10	12	14	16	18
	3	03	06	09	12	15	18	21	24	27
	4	04	08	12	16	20	24	28	32	36
	5	05	10	15	20	25	30	35	40	45
	6	06	12	18	24	30	36	42	48	54
	7	07	14	21	28	35	42	49	56	63
	8	08	16	24	32	40	48	56	64	72
	9	09	18	27	36	45	54	63	72	81

その2 掛け算の答えとなる桁数と掛け算のスタート位置

1. 答えの一の位となる定位点を決めます。
2. 2桁×2桁は、2+2=4桁なので、①の定位点を含めて4つ左の位置が、掛け算の数字をおくスタート地点となります（この場合は千の位）。

※掛けられる数の一番大きい位（2桁なら十の位）の場所から、掛ける数の桁数（2桁なら2つ）左に移った場所が、掛け算の数字をおくスタートと覚えてもOKです。

例 2桁×2桁

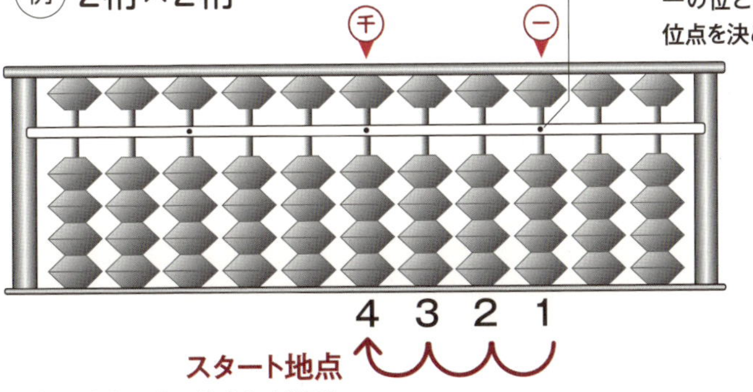

1桁×1桁 ⟶ 1+1=2桁
2桁×1桁 ⟶ 2+1=3桁
2桁×2桁 ⟶ 2+2=4桁
3桁×1桁 ⟶ 3+1=4桁
3桁×2桁 ⟶ 3+2=5桁
3桁×3桁 ⟶ 3+3=6桁

掛け算の答えの桁数は、「掛けられる数＋掛ける数」で求めます。2桁×1桁なら、2＋1＝3桁になります。ただし、例外で2桁になる場合があります。それは、十の位が0になる「が」のつく九九が関係します。

Lesson 13

簡単な掛け算（2桁×1桁／1桁×2桁）

そろばんでは、九九と足し算の組み合わせで掛け算をします。
本書では、暗算への応用が簡単な「両落とし」と呼ばれる方法で掛け算を解説します。

掛け算のルール

掛け算の基本ルールを覚えれば、大きな数字どうしの掛け算でも迷いません！

ルール1

大きい位から順に九九をする

36 × 4 （❶ 4×6、❷ 4×3）

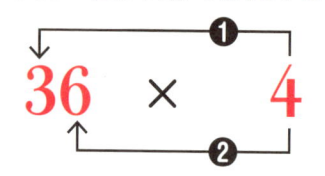

●筆算の場合

$$\begin{array}{r} 36 \\ \times\ \ 4 \\ \hline \end{array}$$

掛ける順番が筆算とは逆になるので注意しましょう！

ルール2

2桁×1桁の答えは3桁または2桁なので（P49）、答えの一の位となる定位点を決め、そこを含めて3つ左の位置（百の位）に、最初の九九の十の位がくるように答えをおく

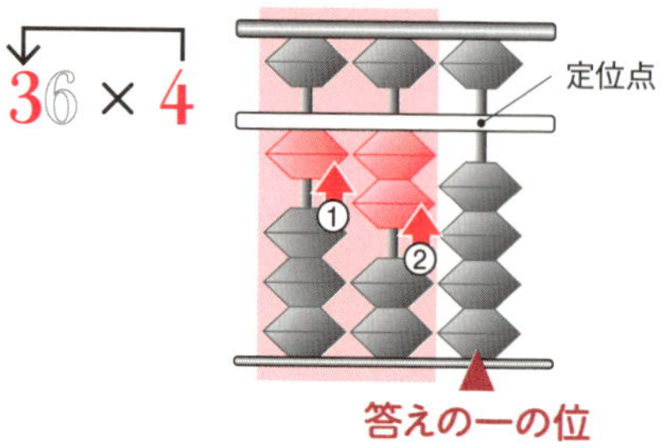

ルール3

九九をするたびに、答えを足す場所を1つ右に移す

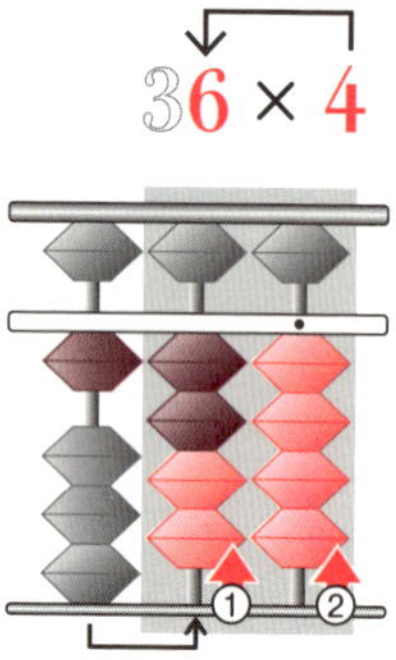

答え 144

その1　64×3の答えを求める

❶ 3桁の百の位を頭にして、3×6＝18をおく

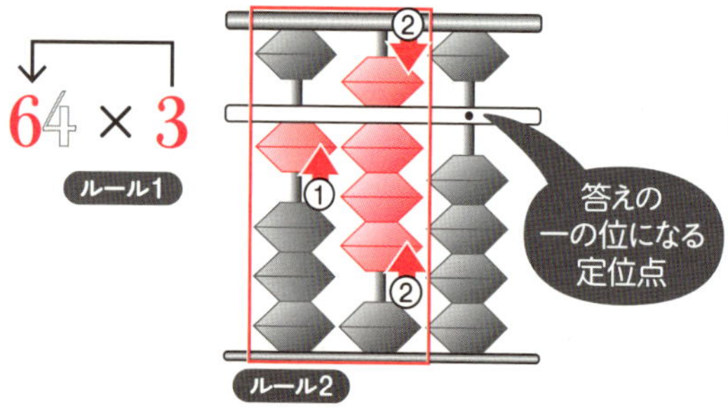

❷ 答えを足す場所を1つ右に移し、3×4＝12を足します。

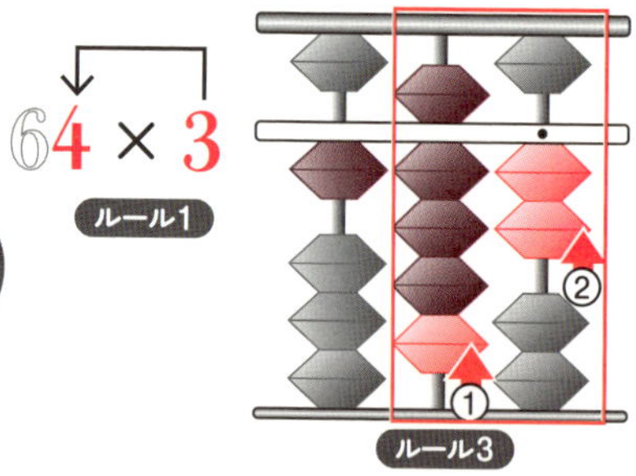

答え 192

計算を速くするために、桁数の少ない1桁の数字を頭に入れ、その数字に大きい位から順に九九をします。64×3の場合、6×3、4×3ではなく、3×6、3×4で計算します。

答え　①492　②270　③776　④96　⑤76

その2　5×54の答えを求める

1 3桁の百の位を頭にして、5×5=25をおく

5 × 54

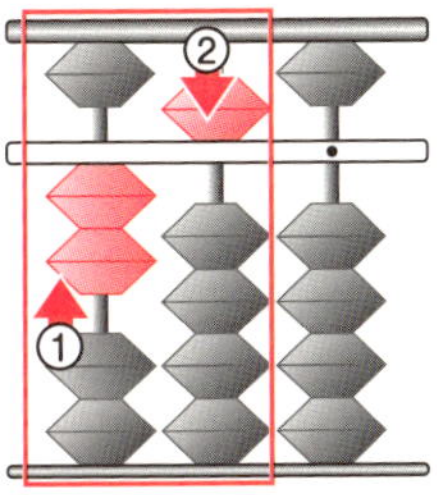

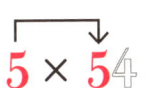

2 答えを足す場所を1つ右に移し、5×4＝20を足します。

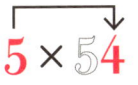

5 × 54

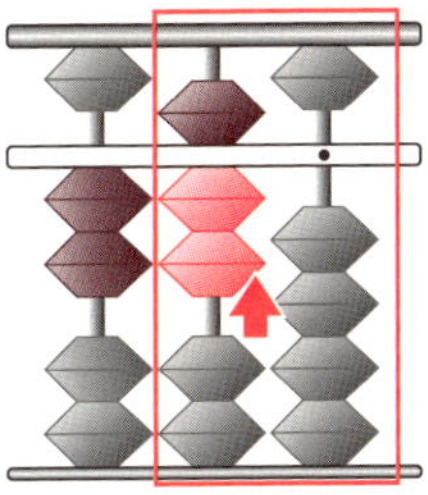

1桁の数字を頭に入れ、5×5、5×4で計算します。定位点が答えの1桁の数字にあたると覚えれば、答えを間違うことはありません。

答え **270**

その3　23×2の答えを求める

1 2×2＝4（にによんがし）で「が」がつくので、十の位は0となります（P48）。3桁の百の位を頭にして答えをおくときは、04とします。

23 × 2

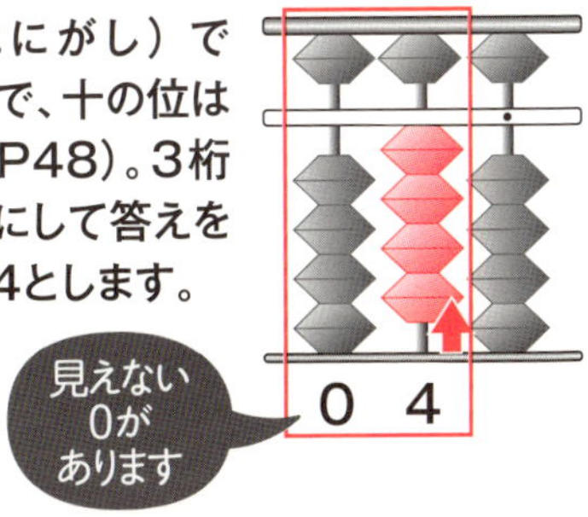

2 答えを足す場所を1つ右に移し、2×3＝06を足します。

23 × 2

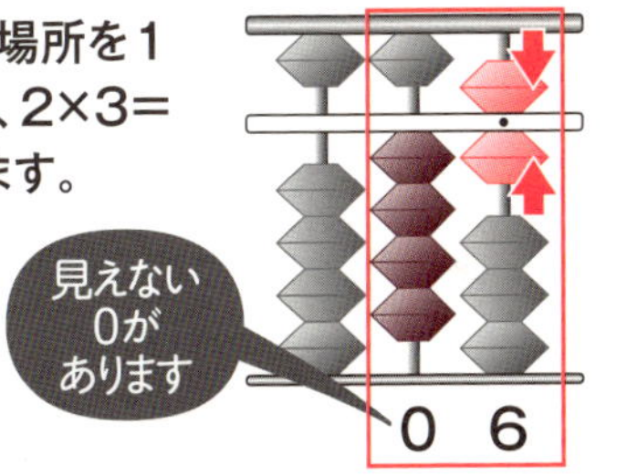

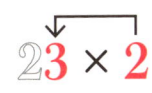

九九の読み方で「が」のつくものは、十の位が「0」ということを表すので（P48参照）、「が」つく九九は、見えない0の次に数字をおきます。

答え **46**

その4　9×15の答えを求める

1 9×1＝9（くいちがく）で「が」がつくので、3桁の百の位を頭にして09とおきます。

9 × 15

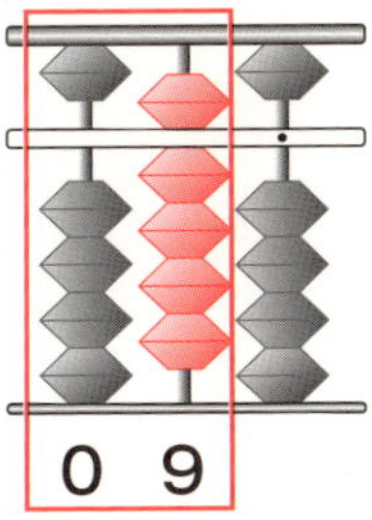

2 答えを足す場所を1つ右に移し、9×5=45を足します。十の位に40が足せないので、4に足すと10になる6を引き、百の位に1（100）を足し、一の位に5を足します。

9 × 15

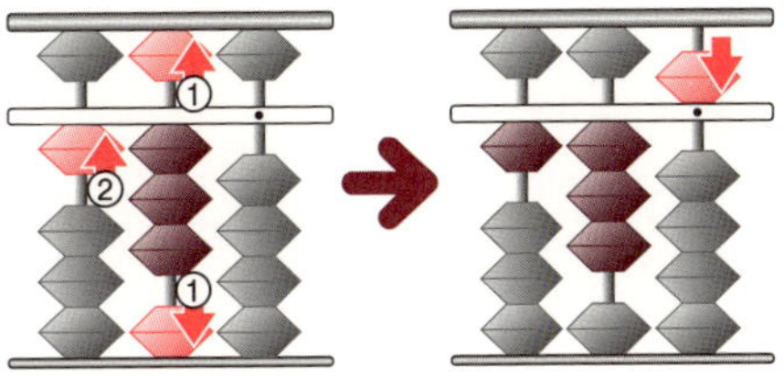

答え **135**

練習問題 （答えはP50）

❶ 82 × 6 ＝

❷ 6 × 45 ＝

❸ 97 × 8 ＝

❹ 32 × 3 ＝

❺ 4 × 19 ＝

Let's Challenge!

簡単な掛け算（2桁×1桁／1桁×2桁）

答えはP53下

やさしい掛け算の練習です。
やり方がわからなくなったら、Lesson13（P50）で復習しましょう。

❶ 23 × 5 ＝ □

この数字は？

一般的なそろばん（23桁）に使われている玉の数。そろばんの玉は、主に樺（かば）やつげなどの堅くて丈夫な木を削り出し、着色→磨きの工程を経て作られています。

❷ 46 × 3 ＝ □

この数字は？

テレビとの距離は、画面の縦の長さの3倍程度がいいとされています。この答えは37型テレビ（縦の長さ約46cm）の場合の適切な距離（単位はcm）。32型の縦の長さは約40cmです。

❸ 80 × 5 ＝ □

この数字は？

「徒歩5分」と書かれた場所までの距離（単位はm）。不動産などの広告で見掛ける「徒歩○分!」という表記は、「距離80mにつき1分」という計算になっています。

④ 52 × 3 =
⑤ 46 × 4 =
⑥ 6 × 36 =
⑦ 94 × 6 =
⑧ 13 × 5 =
⑨ 37 × 2 =
⑩ 61 × 7 =
⑪ 4 × 96 =
⑫ 41 × 4 =
⑬ 37 × 9 =
⑭ 73 × 5 =
⑮ 2 × 68 =
⑯ 5 × 46 =
⑰ 8 × 84 =
⑱ 17 × 5 =
⑲ 87 × 8 =
⑳ 3 × 21 =
㉑ 63 × 8 =
㉒ 9 × 48 =
㉓ 66 × 2 =
㉔ 71 × 5 =
㉕ 9 × 32 =
㉖ 57 × 7 =
㉗ 5 × 51 =
㉘ 72 × 9 =
㉙ 13 × 9 =
㉚ 63 × 3 =
㉛ 4 × 43 =
㉜ 3 × 68 =
㉝ 6 × 42 =
㉞ 9 × 42 =
㉟ 72 × 7 =
㊱ 83 × 7 =
㊲ 69 × 6 =
㊳ 66 × 6 =
㊴ 39 × 7 =
㊵ 37 × 7 =
㊶ 6 × 58 =
㊷ 5 × 77 =
㊸ 19 × 9 =
㊹ 42 × 5 =
㊺ 3 × 99 =
㊻ 3 × 44 =
㊼ 12 × 8 =
㊽ 29 × 9 =
㊾ 31 × 9 =
㊿ 3 × 92 =
(51) 9 × 85 =
(52) 18 × 9 =
(53) 24 × 3 =

答え

①115 ②138 ③400 ④156 ⑤184 ⑥216 ⑦564 ⑧65 ⑨74 ⑩427
⑪384 ⑫164 ⑬333 ⑭365 ⑮136 ⑯230 ⑰672 ⑱85 ⑲696 ⑳63
㉑504 ㉒432 ㉓132 ㉔355 ㉕288 ㉖399 ㉗255 ㉘648 ㉙117 ㉚189
㉛172 ㉜204 ㉝252 ㉞378 ㉟504 ㊱581 ㊲414 ㊳396 ㊴273 ㊵259
㊶348 ㊷385 ㊸171 ㊹210 ㊺297 ㊻132 ㊼96 ㊽261 ㊾279 ㊿276
(51)765 (52)162 (53)72

Lesson 14 3桁×1桁／1桁×3桁の掛け算

桁数が大きくなっても、掛け算のルール（P50）にしたがって行えばOKです。

その1 249×6の答えを求める

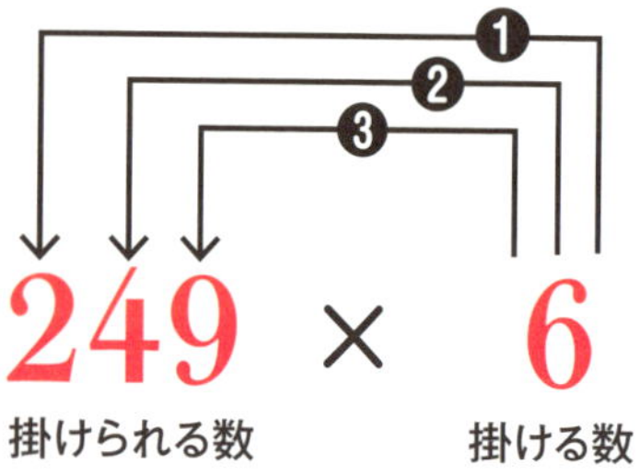

3桁×１桁の答えの桁は4桁または3桁なので（P49）、答えの一の位となる定位点を決め、そこを含めて4つ左の位置（千の位）に、最初の九九の十の位がくるようにおきます。掛ける数の1桁の数字を頭に入れ、6×2、6×4、6×9の順に掛け算をします。

1

4桁の千の位を頭にして、6×2=12をおきます。

249 × 6

ルール1

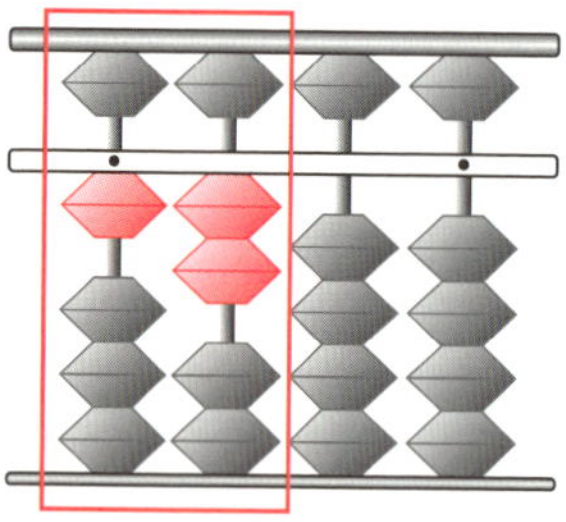

2

答えを足す場所を1つ右に移し、6×4=24を足します。

249 × 6

ルール2

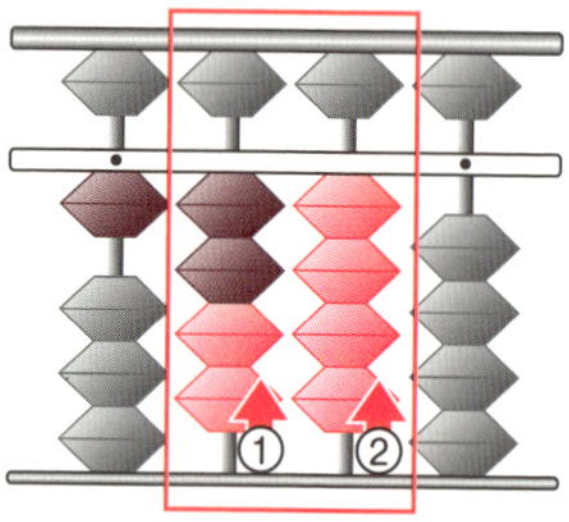

3

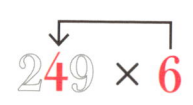

答えを足す場所を1つ右に移し、6×9=54を足します。

249 × 6

ルール3

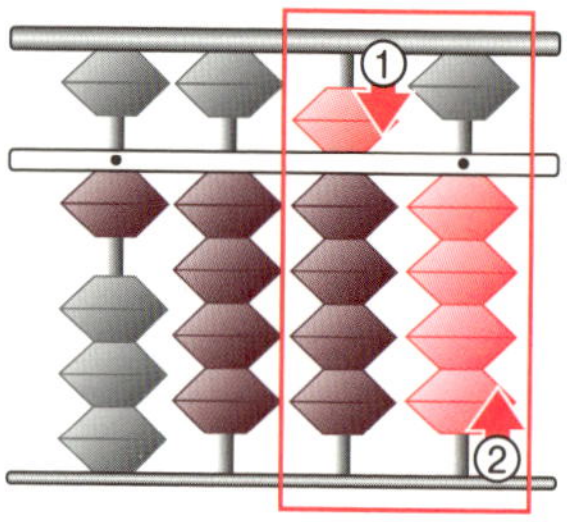

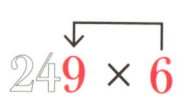

答え **1,494**

千の位の定位点から右に1つずつ九九の答えの十の位をずらしていきます。

答え ①1,992 ②3,440 ③2,736 ④716 ⑤1,589

その2　3×203の答えを求める

1

4桁の千の位を頭にして、3×2=6（さんにがろく）をおきます。「が」がつくので、06とおきます（P51）。

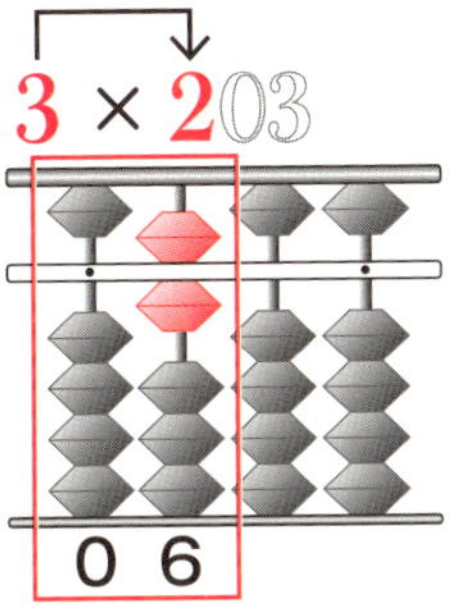

2

答えを足す場所を1つ右に移し、3×0=0の答えをおきますが、0なので玉は動かしません。

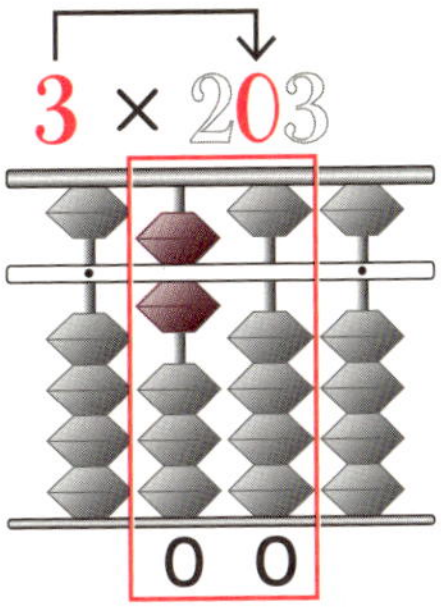

3

答えを足す場所を1つ右に移し、3×3=9（さざんがく）を足します。「が」がつくので、09とおきます。

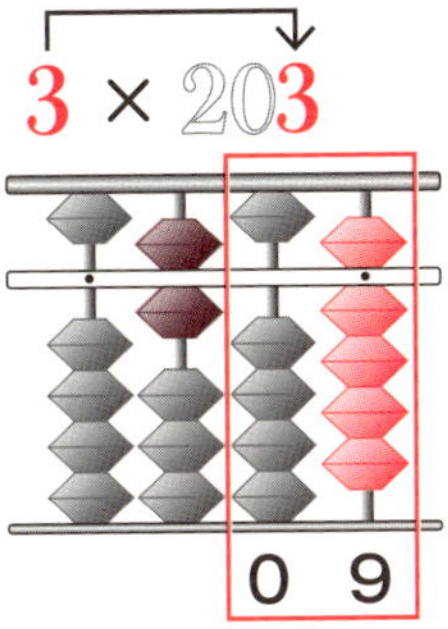

答え **609**

掛けられる数が1桁、掛ける数が3桁の場合、まず1桁の数字を頭に入れます。この場合、3を頭に入れ、3×2、3×0、3×3の順で掛け算をしていきます。このほうが、計算が速くできます。答えが0の場合は玉を動かしませんが、次の答えを足す場所を間違えないようにしましょう。

その3　513×4の答えを求める

1

4桁の千の位を頭にして、4×5=20をおきます。

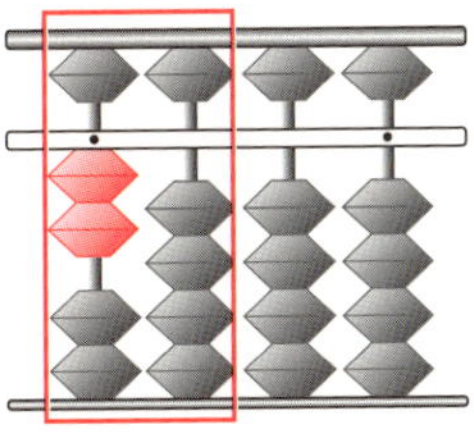

2

答えを足す場所を1つ右に移し、4×1=4（いんがし）を足します。「が」がつくので、04とおきます。

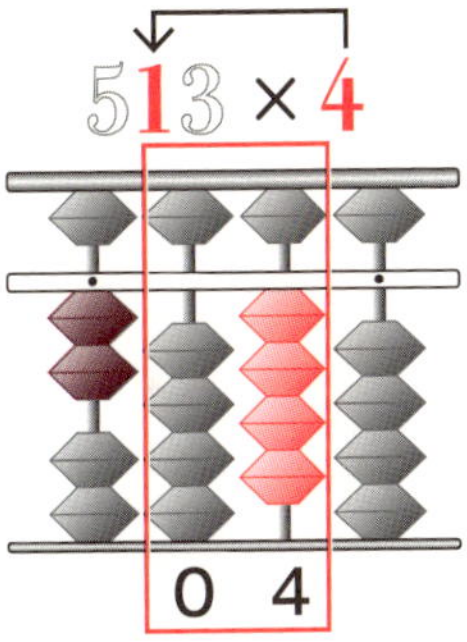

3

次の九九の答えを足す場所を1つ右に移し、4×3=12を足します。

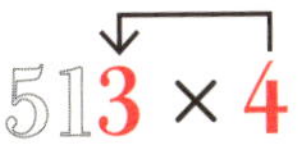

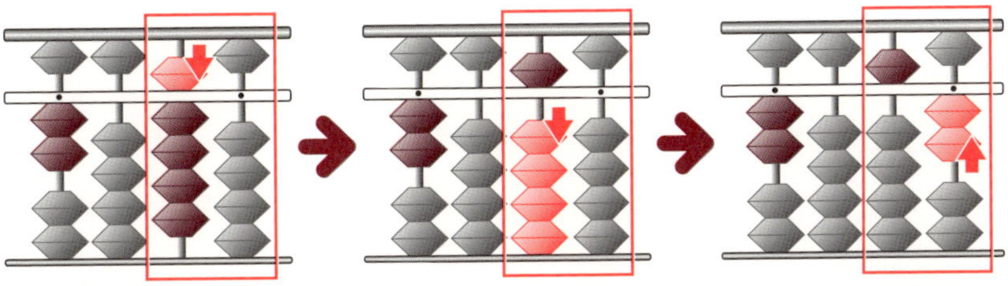

答え **2,052**

5をつくる足し算（P26）を使います。

練習問題（答えはP54）

❶ 332 × 6 =

❷ 8 × 430 =

❸ 912 × 3 =

❹ 179 × 4 =

❺ 7 × 227 =

3桁×1桁／1桁×3桁の掛け算

Let's Challenge!

答えはP57下

答えを足すと場所を1つ右に移しながら、九九の答えを足していきます。
「が」がつく九九は十の位を0とし、足し算も繰り上がりに気をつけて！

❶ 440 × 5 ＝ □

この数字は？

脳のシワを広げた、おおよその大きさ（単位は㎠）。これは、新聞紙1面の大きさに値します。シワに見える部分は実は溝。溝をつくることで大きな表面積を確保しているのです。

❷ 4 × 105 ＝ □

この数字は？

口や鼻、胃や腸など、体中の粘膜をつなぎ合わせた広さ（単位は㎡）。これはバスケットボールのコートくらいの広さになります。皮膚の表面積の250倍というから驚きです。

❸ 625 × 4 ＝ □

この数字は？

ヒトの体から1日で排出される水分の量（単位は㎖）。ヒトの体の約60%は水分ですが、呼吸や汗、尿や便によってたくさんの水分が失われています。だから水分補給が大切なんですね。

④ 163 × 6 =

⑤ 403 × 8 =

⑥ 623 × 4 =

⑦ 242 × 9 =

⑧ 532 × 4 =

⑨ 891 × 5 =

⑩ 167 × 7 =

⑪ 3 × 746 =

⑫ 9 × 120 =

⑬ 2 × 912 =

⑭ 6 × 309 =

⑮ 8 × 217 =

⑯ 4 × 291 =

⑰ 5 × 129 =

⑱ 214 × 4 =

⑲ 329 × 3 =

⑳ 914 × 6 =

㉑ 730 × 9 =

㉒ 604 × 7 =

㉓ 497 × 2 =

㉔ 326 × 3 =

㉕ 9 × 106 =

㉖ 4 × 775 =

㉗ 3 × 139 =

㉘ 2 × 851 =

㉙ 8 × 460 =

㉚ 5 × 209 =

㉛ 7 × 191 =

㉜ 4 × 593 =

㉝ 104 × 9 =

㉞ 226 × 7 =

㉟ 713 × 4 =

㊱ 902 × 3 =

㊲ 125 × 7 =

㊳ 242 × 4 =

㊴ 870 × 5 =

㊵ 143 × 9 =

㊶ 3 × 124 =

㊷ 2 × 901 =

㊸ 5 × 885 =

㊹ 2 × 326 =

㊺ 6 × 661 =

㊻ 514 × 3 =

㊼ 604 × 7 =

㊽ 419 × 4 =

㊾ 4 × 235 =

㊿ 9 × 372 =

(51) 6 × 184 =

(52) 7 × 364 =

(53) 907 × 7 =

答え
①2,200 ②420 ③2,500 ④978 ⑤3,224 ⑥2,492 ⑦2,178 ⑧2,128 ⑨4,455
⑩1,169 ⑪2,238 ⑫1,080 ⑬1,824 ⑭1,854 ⑮1,736 ⑯1,164 ⑰645 ⑱856
⑲987 ⑳5,484 ㉑6,570 ㉒4,228 ㉓994 ㉔978 ㉕954 ㉖3,100 ㉗417 ㉘1,702
㉙3,680 ㉚1,045 ㉛1,337 ㉜2,372 ㉝936 ㉞1,582 ㉟2,852 ㊱2,706 ㊲875
㊳968 ㊴4,350 ㊵1,287 ㊶372 ㊷1,802 ㊸4,425 ㊹652 ㊺3,966 ㊻1,542
㊼4,228 ㊽1,676 ㊾940 ㊿3,348 (51)1,104 (52)2,548 (53)6,349

break time

こんなにある! 変わり種そろばん

そろばんの形はいろいろ。世界で使われている今昔のそろばん、
ユニークなそろばんを紹介しましょう。

中国式そろばん

中国から伝来した初期のそろばんで、五玉が2つ、一玉が5つあります。1つの桁で最大15まで数を表すことができます。16で繰り上がるため、昔の重さの単位（1斤＝16両）や、通貨の単位（一両＝四分＝十六朱）を扱うのに便利でした。

五つ玉そろばん

名前のとおり、一玉が5つのそろばんです。現在広く使われている一玉が4つのそろばん（四つ玉そろばん）が普及するまでは、商店や企業などで広く使われていました。「10」を表す方法が、繰り上がりする方法と、五玉を下げ一玉を全部上げる方法との2通りがあってわかりにくいため、現在は四つ玉そろばんが主流になっています。

斜めそろばん

かつて、束ねた伝票を1枚ずつめくりながら計算する「伝票算」は、経理担当者に必須のスキルでした。このそろばんは、伝票の束を左手に、そろばんを右手に置いて計算しやすいよう作られたものです。桁が斜めになっているため、きわめて高い工作精度が必要とされました。

ロシアそろばん

ロシアで使用されているそろばんで、桁を横にして使います。4個しか珠のない桁を下にして、その上の桁から一の位、十の位、百の位……となります。

盲人用そろばん

目の不自由な人のためのそろばん。玉の代わりに、木片を倒して数を表します。目が不自由だと、電卓を使った計算では答えが読み取れませんが、このそろばんなら、玉に触れることで答えを読み取れるため、盲学校の教育でも用いられています。

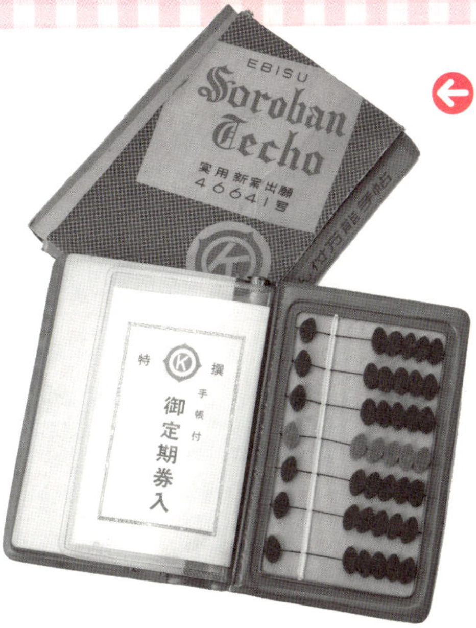

そろばん手帳

メモ帳やパスケース付きの手帳に、そろばんを加えたアイデア商品。桁は糸、玉はフェルトで作られています。

古着屋そろばん

江戸時代から明治時代くらいの日本は、布が貴重で高価だったため、お金に困ったときに着物を売るのは一般的なことでした。古着屋にはたくさんの古着が持ち込まれるため、積み重なった着物の上においても探しやすいよう、高さがあるものになっています。

電卓付きそろばん

そろばんと電卓を一体化したもの。不思議な商品のように思えますが、そろばんに慣れた人は、足し算や引き算はそろばんで、掛け算や割り算は電卓で、といった使い方をしていたようです。

エアそろばん

そろばん式暗算をする際に、そろばんの桁をイメージしやすいよう作られた、玉なしのそろばんです。

携帯用そろばん

桁数を減らして携帯性を高めたそろばん。写真のものはメモ帳と一体化したカバーがついています。計算して、すぐに書きとめることができるスグレものともいえます。

Lesson 15 2桁×2桁の掛け算

2桁×2桁の掛け算をマスターすれば、あとはどんな桁数でもやり方は同じです。掛ける数の桁が1つ右に移るときに、九九の答えを入れ始める場所も1つ移動する、と覚えておくとスムーズにできます。

その1 72×68の答えを求める

2桁（掛けられる数）×1桁（掛ける数）の掛け算をAとBの2つ作り、大きい位から順に九九をします。

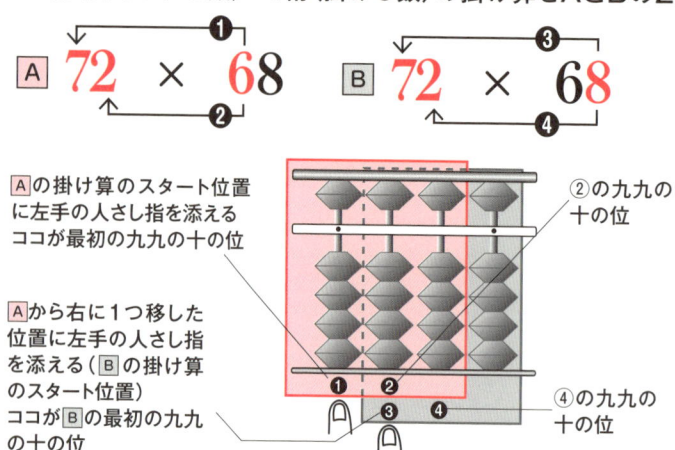

A 72 × 68（❶ 8×7、❷ 8×2）

B 72 × 68（❸ 6×7、❹ 6×2）

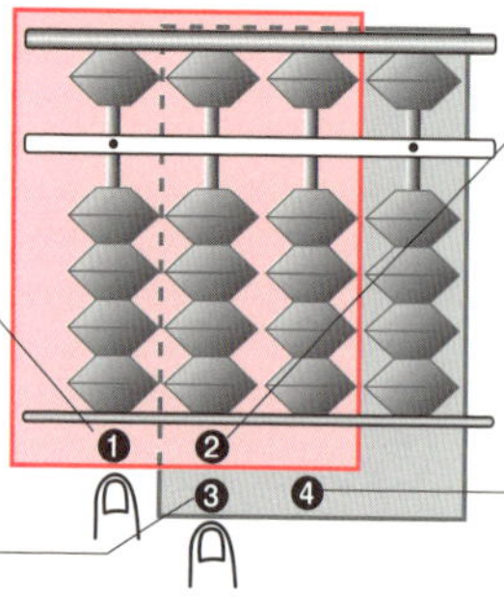

2桁×2桁の掛け算の答えは4桁または3桁なので、一の位の定位点を決めたら、そこを含めて4つ左の位置（千の位）から始めます。このスタート地点に、左手の人さし指を添え、掛ける数の桁が右に移るとき、人さし指も1つ右に移しましょう。

1 4桁の千の位を頭にして、左手の人さし指を添え、6×7=42をおきます。

72 × 68

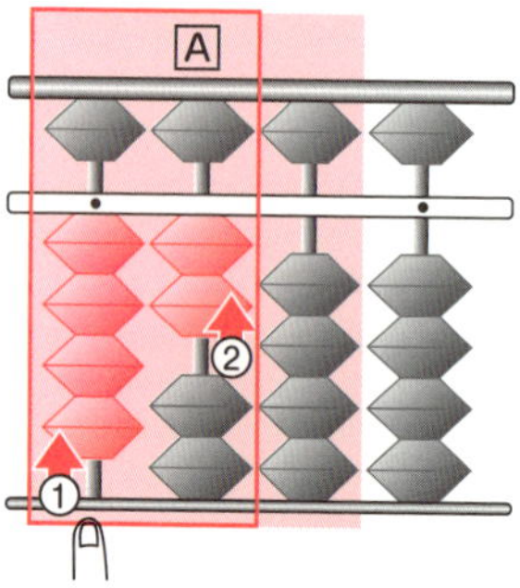

2 答えを足す場所を1つ右に移し、6×2=12を足します。

72 × 68

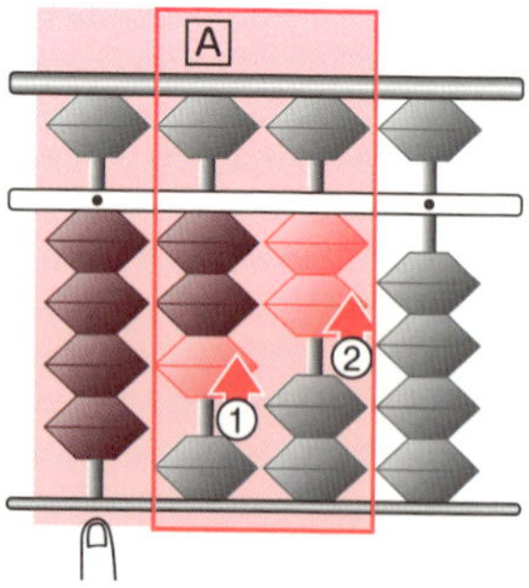

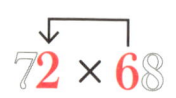

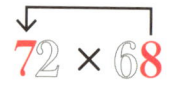

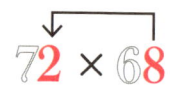

3 掛ける数の桁が右に移るので、左手の人さし指を1つ右に移し、8×7=56を足します。

72 × 68

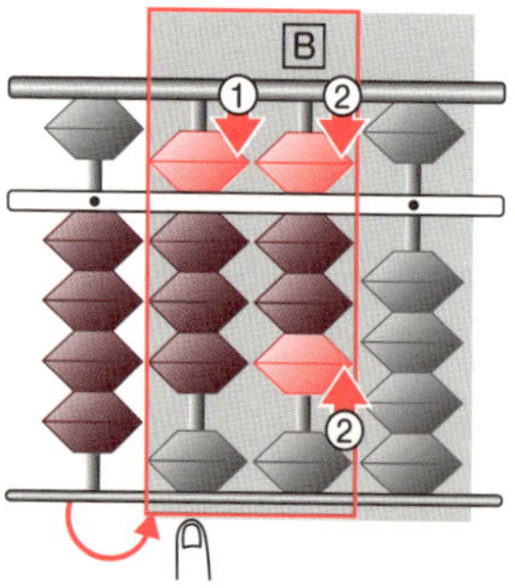

4 答えを足す場所を1つ右に移し、8×2=16を足します。

72 × 68

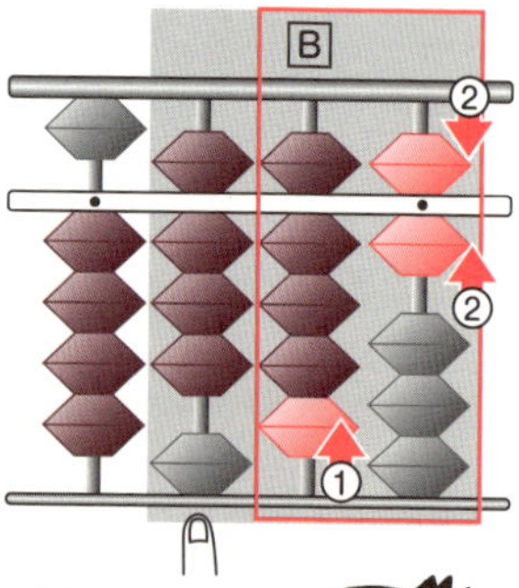

答え **4,896**

ルール4 掛ける数の桁が右に移ったら、答えを足し始める場所を1つ右に移します。

答え ①2,898 ②4,176 ③437 ④2,010 ⑤850

その2 32×13の答えを求める

❶ 4桁の千の位を頭にして、左手の人さし指を添え、1×3=3（いんさんがさん）をおきます。「が」がつくので03とおきます。

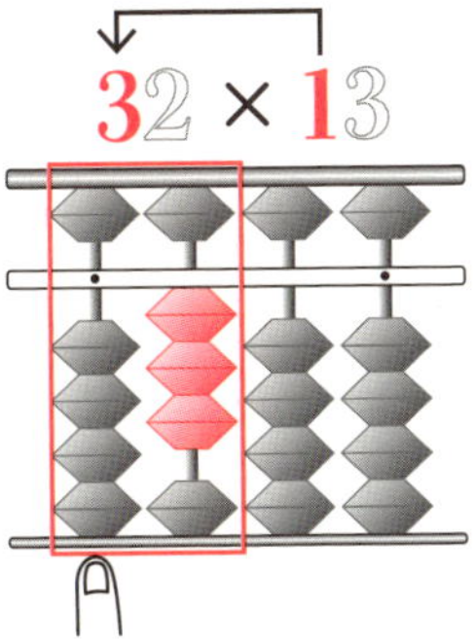

❷ 答えを足す場所を1つ右に移し、1×2=2（いんにがに）を足します。「が」がつくので02とおきます。

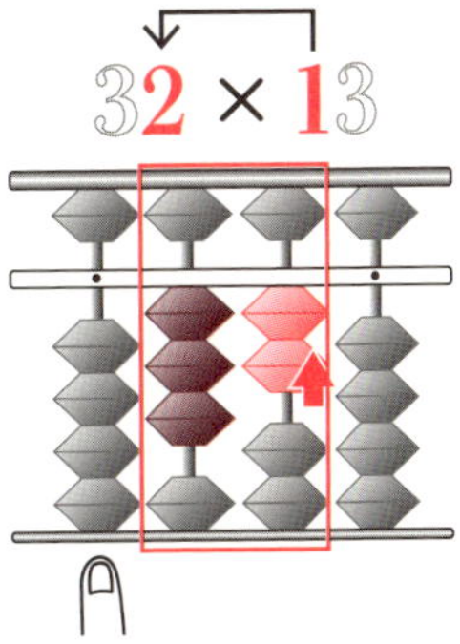

❸ 掛ける数の桁が右に移るので、左手の人さし指を1つ右に移し、3×3=9（さざんがく）を足します。「が」がつくので09とおきます。9が足せないので、9に足すと10になる1を引き、隣の位に10を足します。

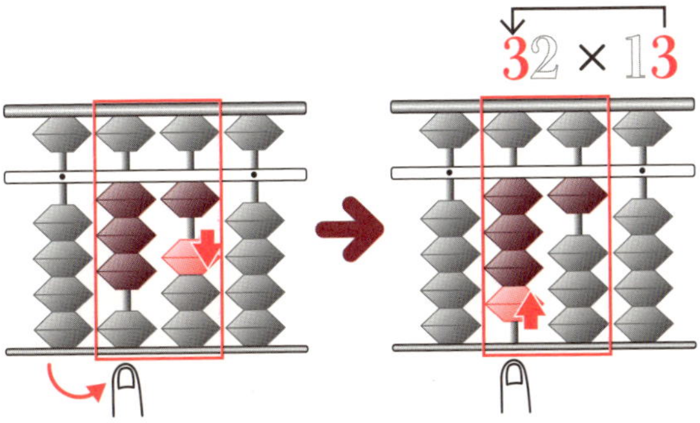

❹ 答えを足す場所を1つ右に移し、3×2=6（さんにがろく）を足します。「が」がつくので06とおきます。

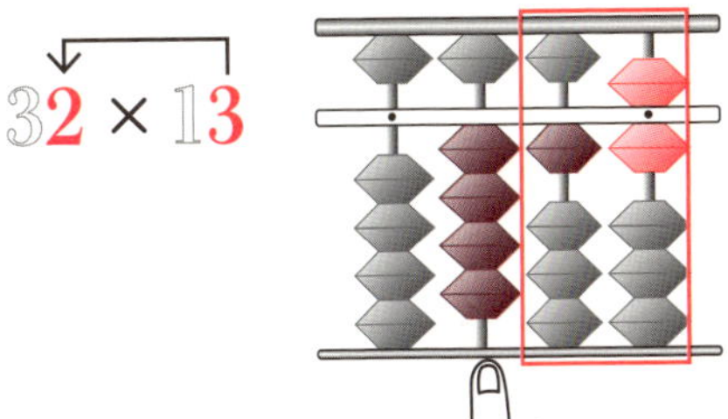

答え 416

その3 18×40の答えを求める

❶ 4桁の千の位を頭にして、左手の人さし指を添え、4×1=04（しいちがし）をおきます。

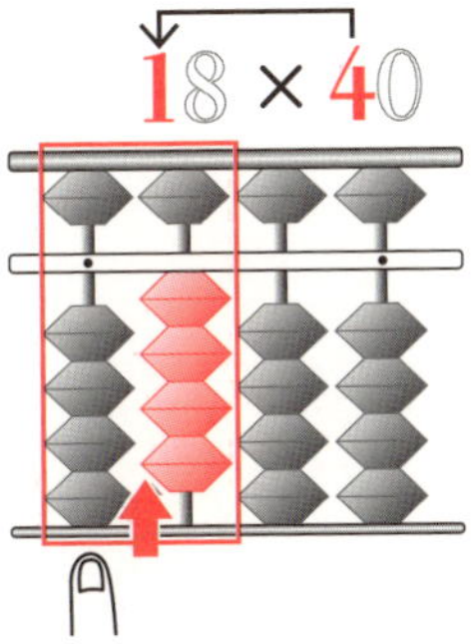

❷ 答えを足す場所を1つ右に移し、4×8=32を足します。

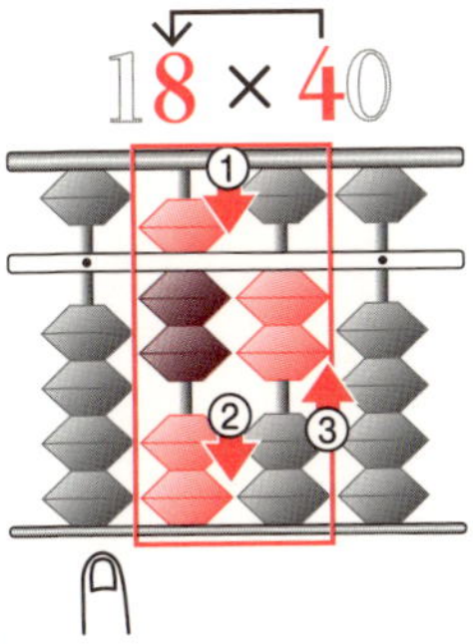

❸ 掛ける数の桁が右に移るので、左手の人さし指を1つ右に移します。
0×1と0×8は0なので、玉は動かしません。

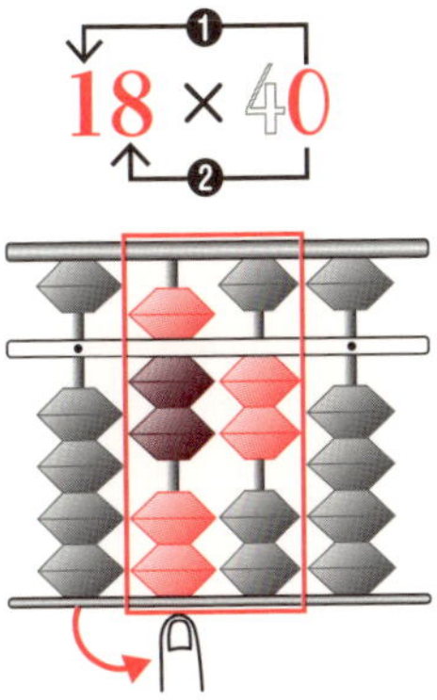

掛けられる・掛ける数の末尾が「0」のときは、計算をしなくてOKです。

答え 720

練習問題（答えはP60）

❶ 46 × 63 =
❷ 72 × 58 =
❸ 23 × 19 =
❹ 67 × 30 =
❺ 34 × 25 =

Let's Challenge!

2桁×2桁の掛け算

答えはP63下

2桁×2桁の掛け算の練習です。
やり方がわからなくなったら、Lesson15（P60）で復習しましょう。

❶ 18 × 49 ＝ □

この数字は?

夏の甲子園・全国高等学校野球選手権大会に出場できる選手の数。出場できるのは各都道府県の予選を勝ち抜いた49チーム、ベンチ入りできる選手は各チーム18人です。

❷ 16 × 20 ＝ □

この数字は?

お正月の風物詩・箱根駅伝に出場できる選手の数。1チームにつき正選手10名＋補欠6名、出場20チームは、シード10校＋予選会通過校9校＋関東学連選抜1校で構成されています。

❸ 12 × 60 ＝ □

この数字は?

一般的なトイレットペーパー1パック分の長さ（シングル、12個入りの場合）。1人1日、10メートル程度使うといわれているので、1パックあれば1人2カ月はもつ!?

④ 41 × 96 =

⑤ 91 × 65 =

⑥ 80 × 13 =

⑦ 73 × 43 =

⑧ 55 × 65 =

⑨ 43 × 37 =

⑩ 28 × 39 =

⑪ 52 × 59 =

⑫ 55 × 71 =

⑬ 40 × 23 =

⑭ 32 × 59 =

⑮ 48 × 76 =

⑯ 18 × 78 =

⑰ 47 × 56 =

⑱ 38 × 18 =

⑲ 97 × 72 =

⑳ 14 × 83 =

㉑ 19 × 66 =

㉒ 80 × 65 =

㉓ 16 × 66 =

㉔ 24 × 91 =

㉕ 20 × 49 =

㉖ 54 × 85 =

㉗ 64 × 32 =

㉘ 76 × 48 =

㉙ 41 × 13 =

㉚ 13 × 77 =

㉛ 44 × 31 =

㉜ 96 × 99 =

㉝ 28 × 30 =

㉞ 64 × 19 =

㉟ 17 × 83 =

㊱ 29 × 79 =

㊲ 27 × 36 =

㊳ 97 × 18 =

㊴ 51 × 94 =

㊵ 90 × 78 =

㊶ 75 × 29 =

㊷ 39 × 47 =

㊸ 84 × 61 =

㊹ 73 × 84 =

㊺ 12 × 39 =

㊻ 43 × 23 =

㊼ 90 × 54 =

㊽ 43 × 83 =

㊾ 91 × 31 =

㊿ 83 × 28 =

(51) 87 × 47 =

(52) 33 × 85 =

(53) 89 × 21 =

答え

①882 ②320 ③720 ④3,936 ⑤5,915 ⑥1,040 ⑦3,139 ⑧3,575 ⑨1,591
⑩1,092 ⑪3,068 ⑫3,905 ⑬920 ⑭1,888 ⑮3,648 ⑯1,404 ⑰2,632 ⑱684
⑲6,984 ⑳1,162 ㉑1,254 ㉒5,200 ㉓1,056 ㉔2,184 ㉕980 ㉖4,590 ㉗2,048
㉘3,648 ㉙533 ㉚1,001 ㉛1,364 ㉜9,504 ㉝840 ㉞1,216 ㉟1,411 ㊱2,291
㊲972 ㊳1,746 ㊴4,794 ㊵7,020 ㊶2,175 ㊷1,833 ㊸5,124 ㊹6,132 ㊺468
㊻989 ㊼4,860 ㊽3,569 ㊾2,821 ㊿2,324 (51)4,089 (52)2,805 (53)1,869

Lesson 16

3桁×2桁／2桁×3桁の掛け算

桁数が増えても、計算の方法は2桁×2桁（P60）と同じです。
掛ける数の桁が右に移るとき、左手の人さし指を「ココからおき始めた」という印にし、あわてずに1桁ずつ順番に九九と足し算をしていきましょう。

その1　541×32の答えを求める

3桁（掛けられる数）×1桁（掛ける数）の掛け算をAとBの2つ作り、大きい位から順に九九をします。

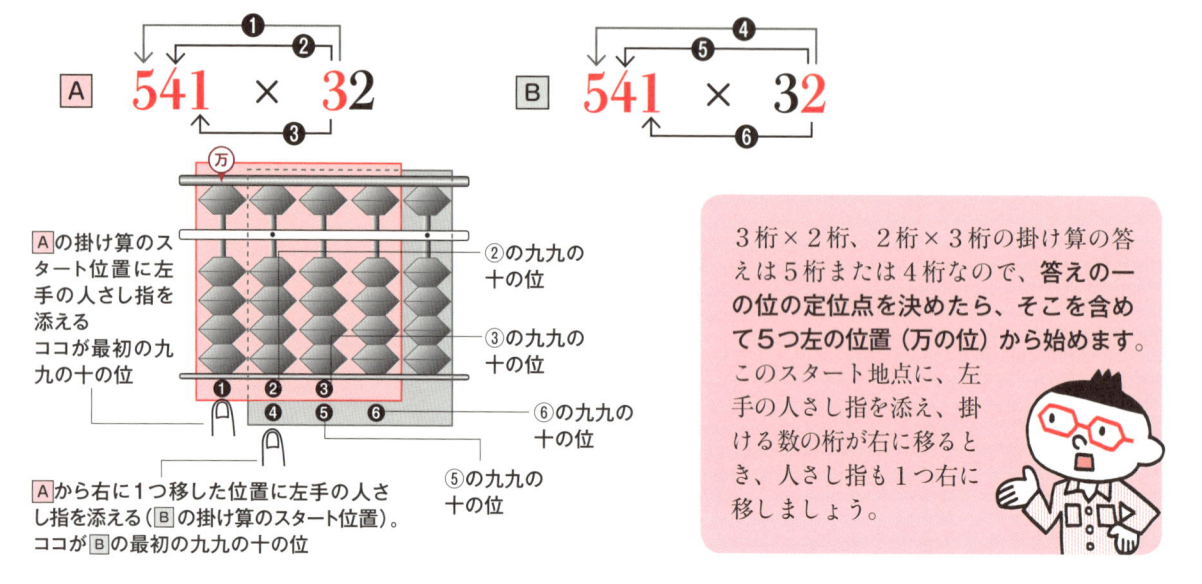

A　541 × 32（❶❷❸）

B　541 × 32（❹❺❻）

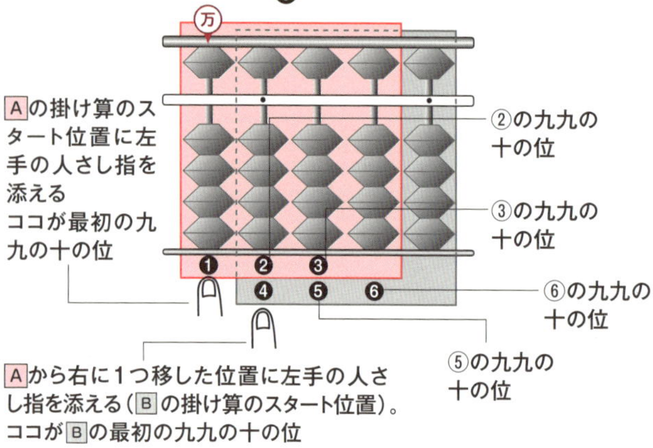

３桁×２桁、２桁×３桁の掛け算の答えは５桁または４桁なので、**答えの一の位の定位点を決めたら、そこを含めて5つ左の位置（万の位）から始めます。**このスタート地点に、左手の人さし指を添え、掛ける数の桁が右に移るとき、人さし指も１つ右に移しましょう。

1 5桁の万の位を頭にして、左手の人さし指を添え、3×5＝15をおきます。

541 × 32

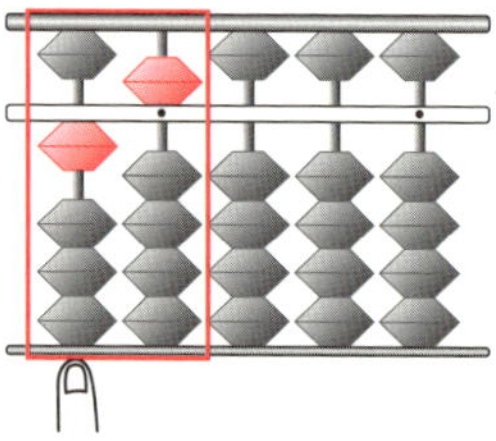

2 答えを足す場所を1つ右に移し、3×4＝12を足します。

541 × 32

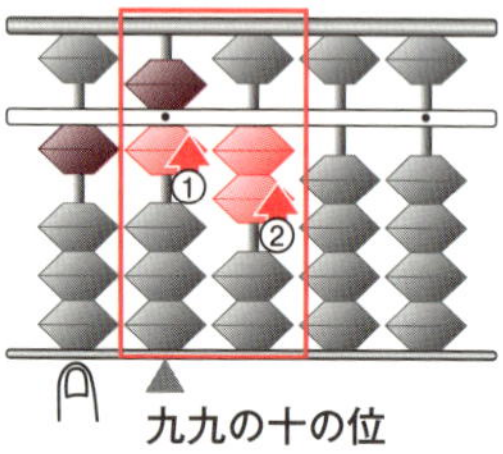

3 答えを足す場所を②より1つ右に移し、3×1＝03（さんいちがいち）を足します。「が」がつくので、十の位は0とします。

541 × 32

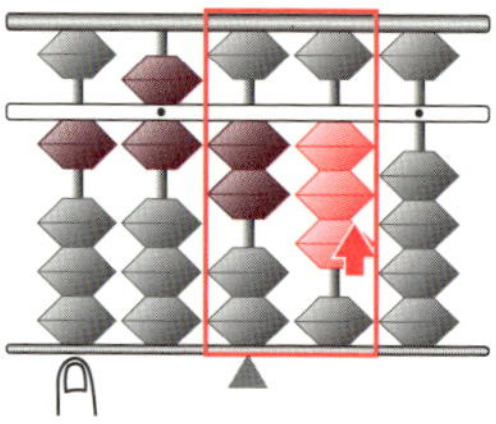

4 掛ける数が右に移るので、左手の人さし指を1つ右に移し、2×5＝10を足します。

541 × 32

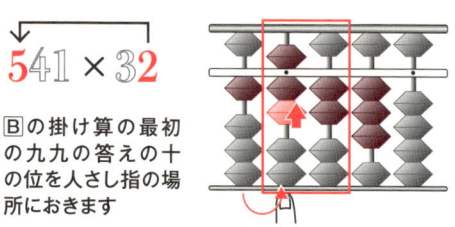

Bの掛け算の最初の九九の答えの十の位を人さし指の場所におきます

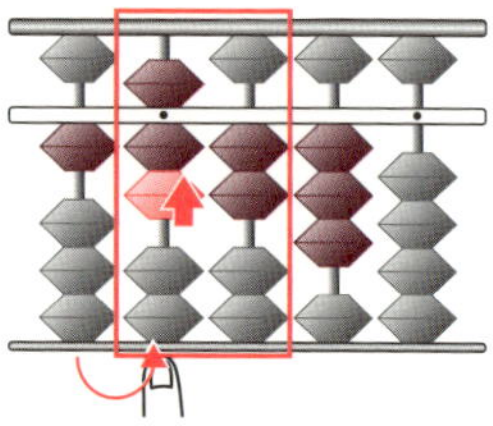

答え　①15,500　②29,971　③33,532　④16,578　⑤11,515

5 答えを足す場所を1つ右に移し、2×4=08（にしがはち）を足します。「が」がつくので08とおきます。8が足せないので、8に足すと10になる2を引き、隣の位に10を足します。

541 × 32

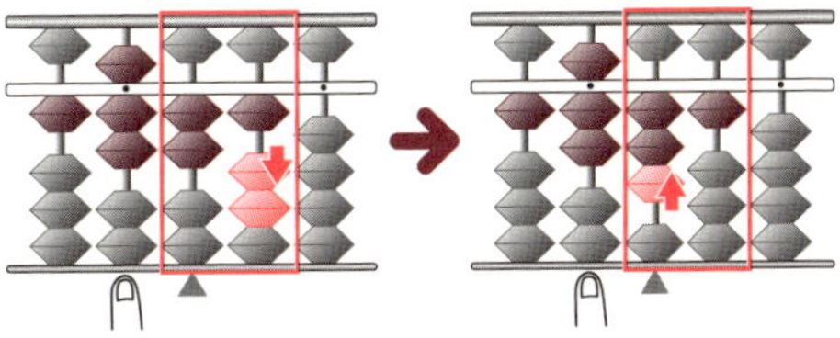

6 答えを足す場所を右に移し、2×1=02（にいちがに）を足します。

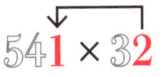

541 × 32

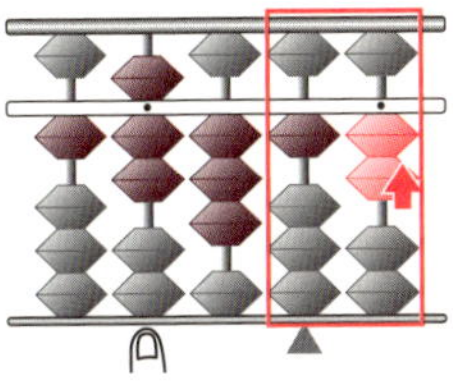

答え 17,312

九九と足し算の繰り返しですが、九九の十の位の位置を間違わないように。また、これまでの10をつくる足し算（P34）など、足し算の応用が必要となってきます。

その2 46×402の答えを求める

掛ける数は、いつも桁数の少ないほうに。そうすると、計算が速くできます。

1 5桁の万の位を頭にして、左手の人さし指を添え、4×4=16をおきます。

46 × 402

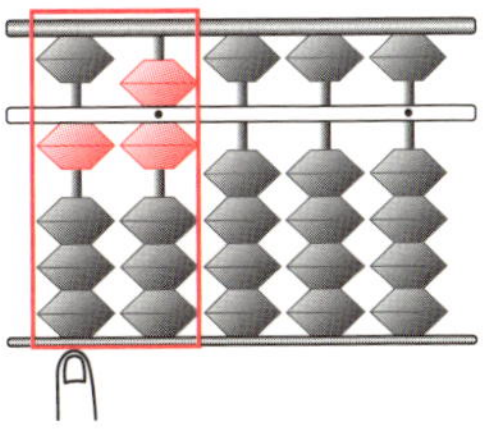

2 答えを足す場所を1つ右に移しますが、4×0=0なので、玉は動かしません。

46 × 402

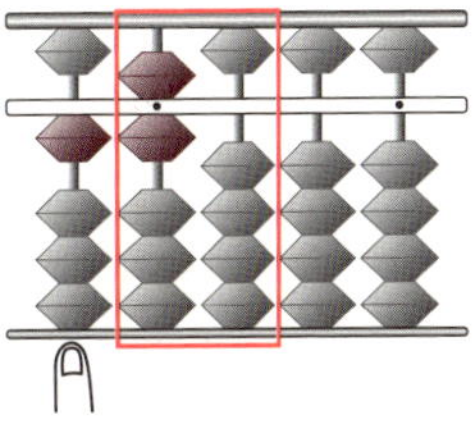

3 答えを足す場所を②より1つ右に移し、4×2=08（しにがはち）を足します。「が」がつくので、十の位は0とします。

46 × 402

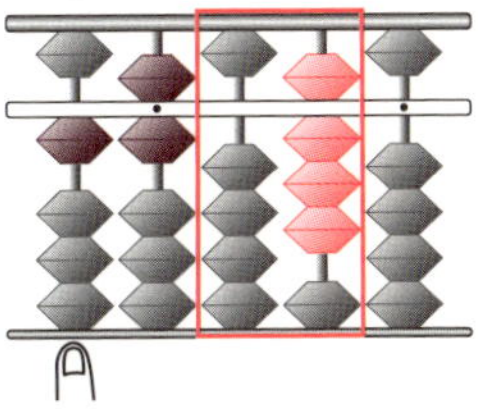

4 掛ける数が右に移るので、左手の人さし指を1つ右に移し、6×4=24を足します。

46 × 402

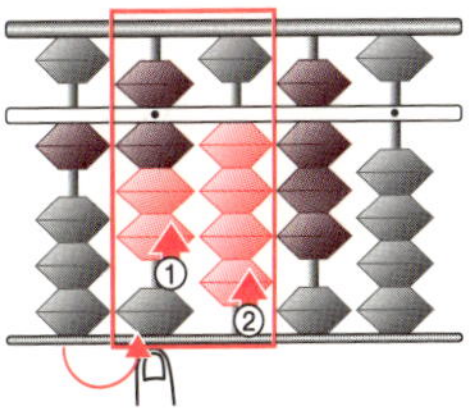

5 答えを足す場所を1つ右に移しますが、6×0=0なので、玉は動かしません。

46 × 402

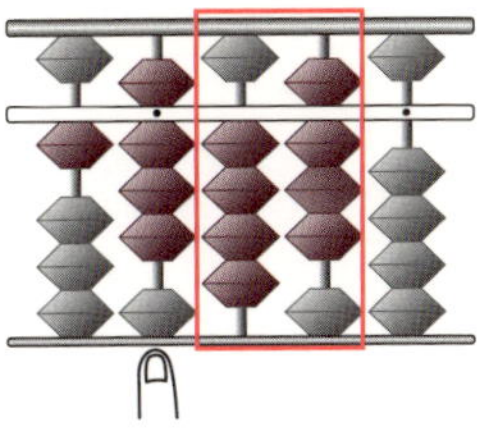

6 答えを足す場所を⑤より1つ右に移し、6×2=12を足します。

46 × 402

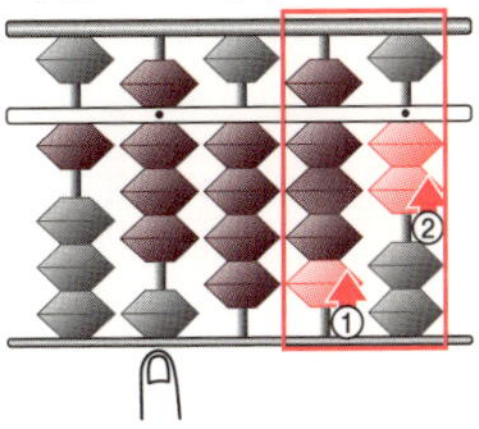

答え 18,492

練習問題（答えはP64）

❶ 250 × 62 =

❷ 731 × 41 =

❸ 404 × 83 =

❹ 614 × 27 =

❺ 329 × 35 =

Let's Challenge!

3桁×2桁／2桁×3桁の掛け算

答えはP67下

3桁×2桁、2桁×3桁の掛け算の練習です。
やり方がわからなくなったら、Lesson16（P64）で復習しましょう。

❶ $800 \times 50 =$

この数字は？

地球一周のおおよその距離（単位はkm）。実は、地球というのは完全な球体ではありません。そのため、赤道の長さと、北極と南極を通る長さは少し違います。

❷ $105 \times 68 =$

この数字は？

埼玉スタジアム2002の天然芝ピッチ面積（単位は㎡）。ここは、浦和レッドダイヤモンズのホームで、2002年FIFAワールドカップの会場にもなりました。

❸ $160 \times 11 =$

この数字は？

東京都市部を走る山手線1編成あたりの定員数。1両の定員が約160人で、11両編成で運行しています。ちなみにラッシュ時には約50編成が運行。550車両が1周34.5kmの路線を走っています。

④ 346 × 14 =

⑤ 537 × 25 =

⑥ 413 × 36 =

⑦ 580 × 31 =

⑧ 824 × 25 =

⑨ 195 × 92 =

⑩ 734 × 58 =

⑪ 630 × 98 =

⑫ 521 × 36 =

⑬ 845 × 42 =

⑭ 360 × 62 =

⑮ 204 × 50 =

⑯ 23 × 190 =

⑰ 52 × 913 =

⑱ 30 × 429 =

⑲ 94 × 287 =

⑳ 44 × 338 =

㉑ 90 × 107 =

㉒ 12 × 882 =

㉓ 59 × 380 =

㉔ 62 × 159 =

㉕ 11 × 857 =

㉖ 84 × 670 =

㉗ 24 × 513 =

㉘ 72 × 194 =

㉙ 13 × 105 =

㉚ 35 × 452 =

㉛ 13 × 989 =

㉜ 40 × 681 =

㉝ 68 × 107 =

㉞ 94 × 311 =

㉟ 47 × 295 =

㊱ 29 × 420 =

㊲ 56 × 173 =

㊳ 42 × 320 =

㊴ 17 × 194 =

㊵ 89 × 106 =

㊶ 472 × 14 =

㊷ 427 × 95 =

㊸ 304 × 91 =

㊹ 842 × 84 =

㊺ 461 × 98 =

㊻ 371 × 79 =

㊼ 572 × 70 =

㊽ 871 × 81 =

㊾ 633 × 14 =

㊿ 114 × 70 =

(51) 893 × 32 =

(52) 617 × 19 =

(53) 300 × 27 =

答え

①40,000 ②7,140 ③1,760 ④4,844 ⑤13,425 ⑥14,868 ⑦17,980 ⑧20,600
⑨17,940 ⑩42,572 ⑪61,740 ⑫18,756 ⑬35,490 ⑭22,320 ⑮10,200 ⑯4,370
⑰47,476 ⑱12,870 ⑲26,978 ⑳14,872 ㉑9,630 ㉒10,584 ㉓22,420 ㉔9,858
㉕9,427 ㉖56,280 ㉗12,312 ㉘13,968 ㉙1,365 ㉚15,820 ㉛12,857 ㉜27,240
㉝7,276 ㉞29,234 ㉟13,865 ㊱12,180 ㊲9,688 ㊳13,440 ㊴3,298 ㊵9,434
㊶6,608 ㊷40,565 ㊸27,664 ㊹70,728 ㊺45,178 ㊻29,309 ㊼40,040 ㊽70,551
㊾8,862 ㊿7,980 (51)28,576 (52)11,723 (53)8,100

Lesson 17

3桁×3桁の掛け算

桁数が増えても、掛け算のやり方は同じです。
「掛ける数の桁が右に移ったら、左手の人さし指も右に1つ移して、九九と足し算をする」
ことを繰り返します。

その1　213×511の答えを求める

1桁×3桁の掛け算をA･B･Cの3つ作り、大きい位から順に九九をします。

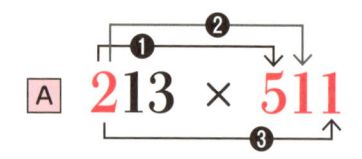

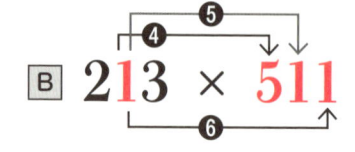

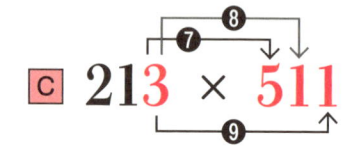

A　213 × 511（❶ ❷ ❸）

B　213 × 511（❹ ❺ ❻）

C　213 × 511（❼ ❽ ❾）

3桁×3桁の掛け算の答えは6桁または5桁なので、**答えの一の位の定位点を決めたら、そこを含めて6つ左の位置（十万の位）から始めます。**このスタート地点に、左手の人さし指を添え、掛ける数の桁が右に移るとき、人さし指も1つ右に移します。

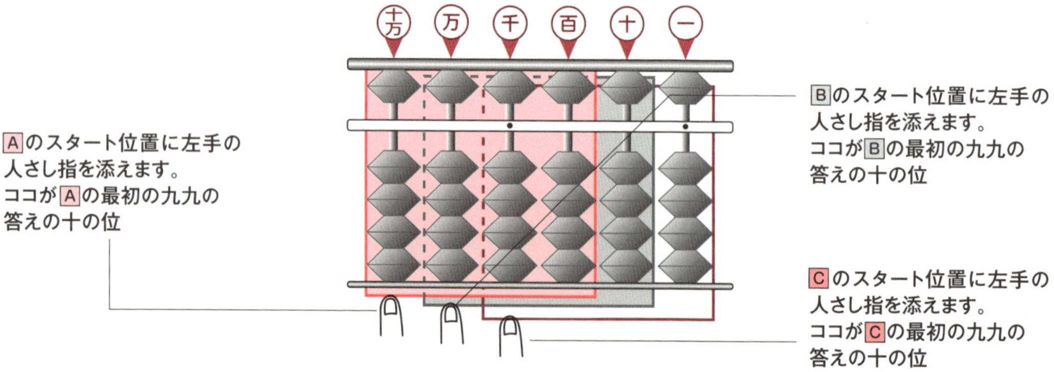

十万
万
千
百
十
一
Aのスタート位置に左手の人さし指を添えます。ココがAの最初の九九の答えの十の位
Bのスタート位置に左手の人さし指を添えます。ココがBの最初の九九の答えの十の位
Cのスタート位置に左手の人さし指を添えます。ココがCの最初の九九の答えの十の位

1　6桁の十万の位を頭にして、左手の人さし指を添え、2×5=10をおきます。

213 × 511
A

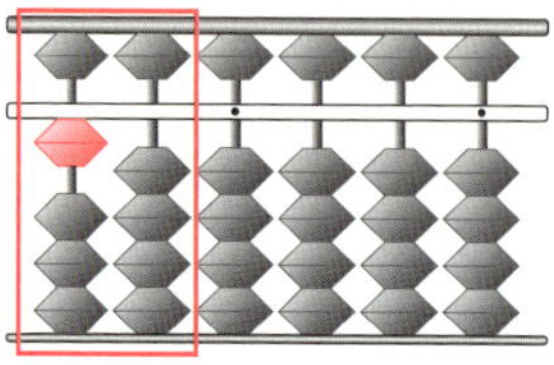

2　答えを足す場所を1つ右に移し、2×1=2（にいちがに）を足します。「が」がつくので、02とおきます。

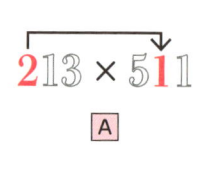

213 × 511
A

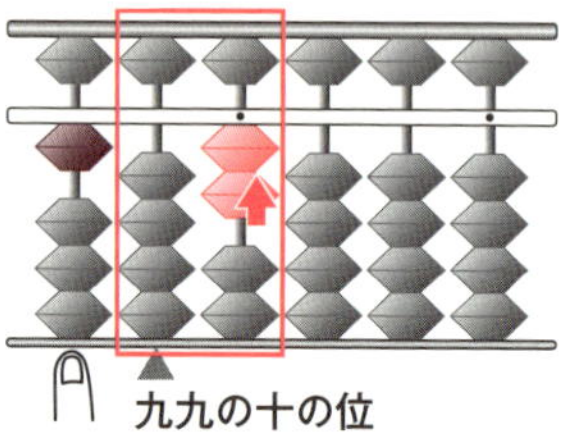

九九の十の位

答え　①92,310　②231,557　③298,910　④93,026　⑤247,660

3 答えを足す場所を1つ右に移し、2×1=2（にいちがに）を足します。「が」がつくので、02とおきます。

213 × 511

A

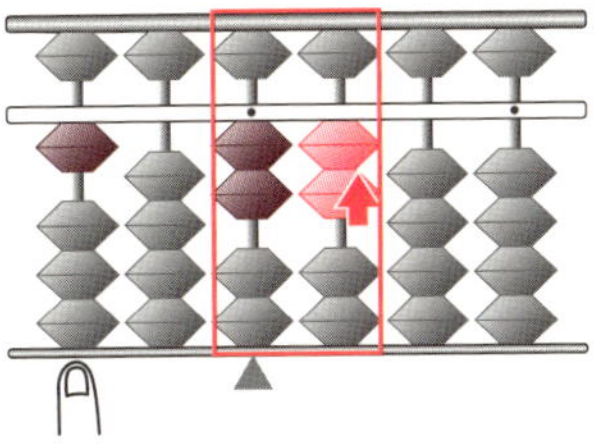

4 掛ける数が右に移るので、左手の人さし指を1つ右に移し、1×5=5（いんごがご）を足します。「が」がつくので05とおきます。

213 × 511

B

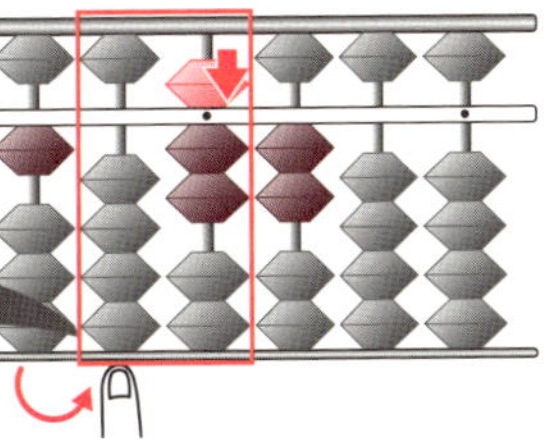
Bの掛け算の最初の
九九の答えの十の位に
人さし指を添えます

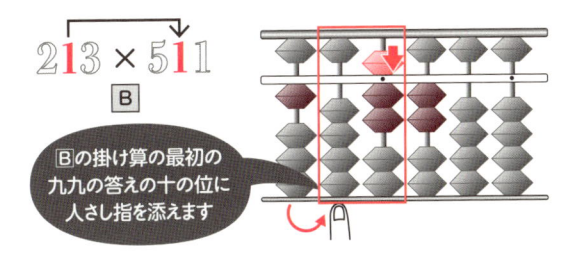

5 答えを足す場所を1つ右に移し、1×1=1（いんいちがいち）を足します。「が」がつくので、01とおきます。

213 × 511

B

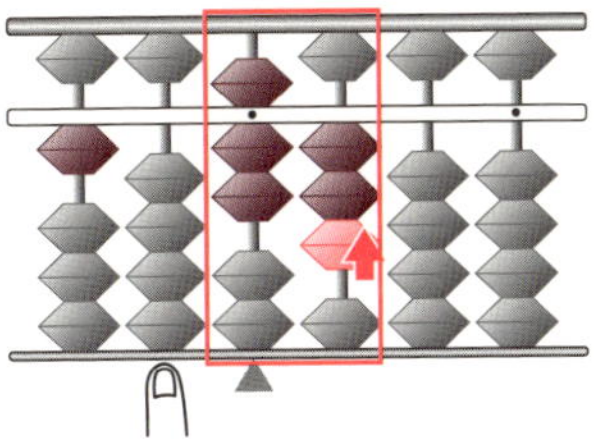

6 答えを足す場所を1つ右に移し、1×1=1（いんいちがいち）を足します。「が」がつくので、01とおきます。

213 × 511

B

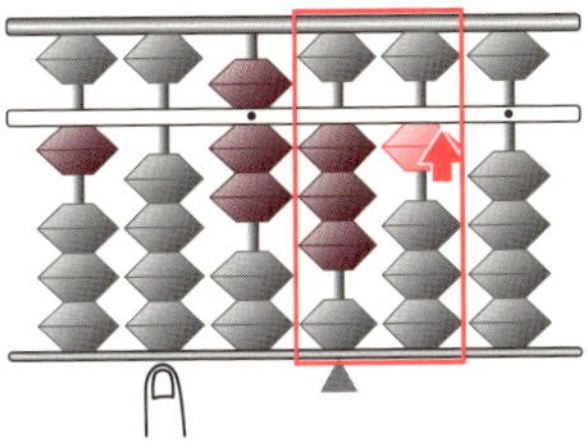

7 掛ける数が右に移るので、左手の人さし指を1つ右に移し、3×5=15を足します。

213 × 511

C

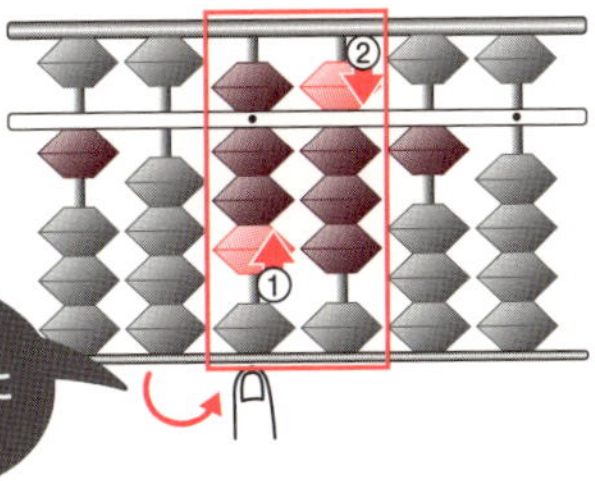
②
①
Cの掛け算の最初の
九九の答えの十の位に
人さし指を添えます

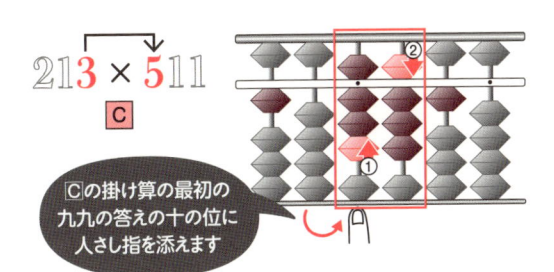

8 答えを足す場所を1つ右に移し、3×1=03（さんいちがさん）を足します。「が」がつくので、03とおきます。

213 × 511

C

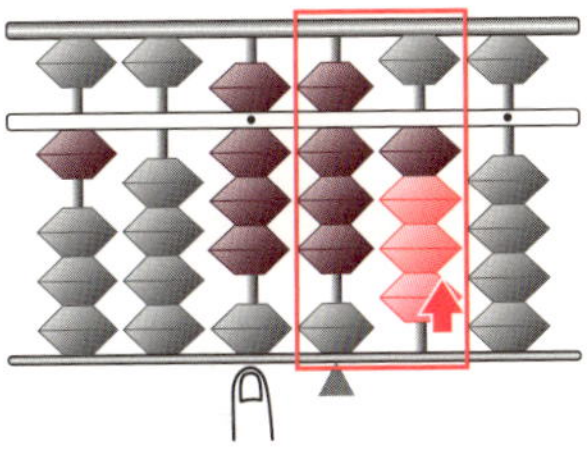

9 答えを足す場所を1つ右に移し、3×1=3（さんいちがさん）を足します。「が」がつくので、03とおきます。

213 × 511

C

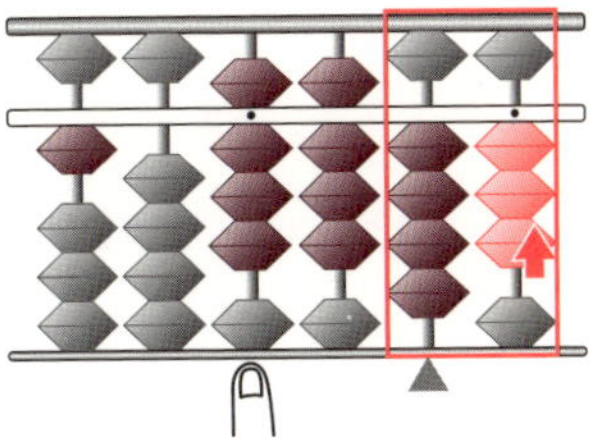

掛ける数の桁が右に移ると同時に、左手の人さし指を1つ右に移し、あとは、九九の答えを足すごとに九九の答えの十の位を右に1つずつ移します。これを間違わなければ、大丈夫です。

答え 108,843

練習問題（答えはP68）

❶ 255 × 362 =

❷ 901 × 257 =

❸ 710 × 421 =

❹ 482 × 193 =

❺ 305 × 812 =

Let's Challenge! 3桁×3桁の掛け算

答えはP71下

掛ける数の桁が右に移るたびに、左手の人さし指を右に移し、九九と足し算をしていきましょう。
やり方がわからなくなったらLesson17（P68）で復習しましょう。

❶ 105 × 300 = ☐

この数字は？

ロシアのバイカル湖の面積（単位は㎢）。シベリアの真珠ともいわれる三日月型の美しい湖で、琵琶湖の約46倍もの大きさがあります。1996年には世界遺産として登録されています。

❷ 500 × 200 = ☐

この数字は？

兄弟姉妹が結婚するときのお祝い金の目安（単位は円）。お祝いには奇数がよいとされますが、二重の喜びの意味で、2や8はよいとされています。なお、10は1で奇数とみなされます。

❸ 961 × 400 = ☐

この数字は？

地球から月までのおおよその距離（単位はkm）。地球の周りを約27日で1周している月は、地球の4分の1ほどの大きさです。太陽に向いた面だけが反射によって光っています。

④ 825 × 112 =

⑤ 403 × 910 =

⑥ 140 × 552 =

⑦ 691 × 274 =

⑧ 513 × 725 =

⑨ 219 × 287 =

⑩ 805 × 329 =

⑪ 712 × 480 =

⑫ 494 × 362 =

⑬ 109 × 974 =

⑭ 300 × 458 =

⑮ 886 × 182 =

⑯ 920 × 317 =

⑰ 403 × 190 =

⑱ 639 × 241 =

⑲ 590 × 830 =

⑳ 138 × 527 =

㉑ 923 × 615 =

㉒ 349 × 109 =

㉓ 130 × 641 =

㉔ 218 × 624 =

㉕ 774 × 312 =

㉖ 105 × 977 =

㉗ 364 × 316 =

㉘ 803 × 427 =

㉙ 506 × 729 =

㉚ 622 × 645 =

㉛ 985 × 785 =

㉜ 183 × 587 =

㉝ 632 × 578 =

㉞ 438 × 460 =

㉟ 473 × 166 =

㊱ 681 × 564 =

㊲ 913 × 354 =

㊳ 857 × 468 =

㊴ 752 × 692 =

㊵ 265 × 355 =

㊶ 653 × 180 =

㊷ 300 × 624 =

㊸ 827 × 378 =

㊹ 458 × 603 =

㊺ 379 × 366 =

㊻ 341 × 557 =

㊼ 353 × 431 =

㊽ 773 × 510 =

㊾ 549 × 466 =

㊿ 950 × 986 =

(51) 465 × 955 =

(52) 112 × 365 =

(53) 814 × 871 =

答え
①31,500 ②100,000 ③384,400 ④92,400 ⑤366,730 ⑥77,280 ⑦189,334 ⑧371,925
⑨62,853 ⑩264,845 ⑪341,760 ⑫178,828 ⑬106,166 ⑭137,400 ⑮161,252 ⑯291,640
⑰76,570 ⑱153,999 ⑲489,700 ⑳72,726 ㉑567,645 ㉒38,041 ㉓83,330 ㉔136,032
㉕241,488 ㉖102,585 ㉗115,024 ㉘342,881 ㉙368,874 ㉚401,190 ㉛773,225 ㉜107,421
㉝365,296 ㉞201,480 ㉟78,518 ㊱384,084 ㊲323,202 ㊳401,076 ㊴520,384 ㊵94,075
㊶117,540 ㊷187,200 ㊸312,606 ㊹276,174 ㊺138,714 ㊻189,937 ㊼152,143
㊽394,230 ㊾255,834 ㊿936,700 (51)444,075 (52)40,880 (53)708,994

Lesson 18

小数の掛け算

小数点の計算は難しいイメージがあるかもしれませんが、整数の数、小数点以下の数、九九のスタート位置が把握できれば、あとはこれまでの掛け算と同じです。

小数点の掛け算のルール

ポイントとなるのは、計算式にある整数の数と、小数点以下の桁数、0の数字です。
九九のスタート地点におく左手の人さし指は、整数の数だけ左へ、
小数点以下の桁数によって右に移ります。ココを間違わないようにしましょう。

ルール1

計算式の中に整数がいくつあるかをチェックする。

※整数とは、モノの個数などを表す数で、小数点以下の数は、整数ではない。

例

15	→	小数点以下の数はなく、2桁の数字なので、整数は2
1.5	→	小数点はあるが、一の位が1で1桁あるので、整数は1
10.5	→	小数点はあるが、2桁の数字があるので、整数は2
0.15	→	一の位が0の小数点のある数字なので、整数は0

31.5×5の整数の数は？

31.5 × 5 （5：小数点以下第一位）

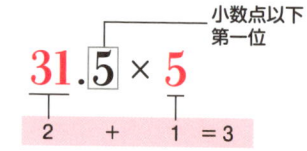

2 ＋ 1 ＝3

［この計算式の整数の数は？］

①55.9×4　④4.2×0.2
②4.1×7　⑤9.31×0.25
③47.15×1.5

答え
①3
②2
③3
④1
⑤1

ルール2

例 整数が2つの場合

答えが一の位になる定位点を決め、その定位点を含む整数の数だけ左に、左手の人さし指を移す。

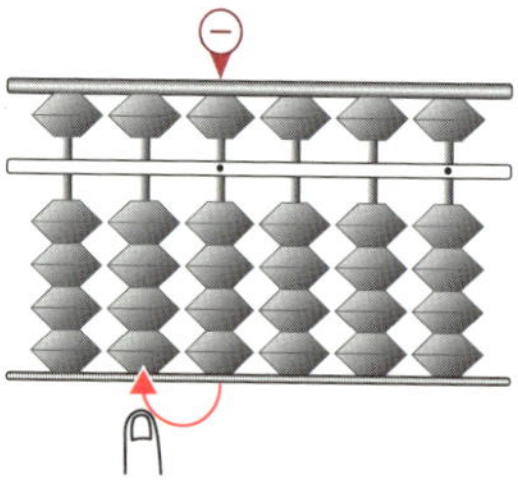

ルール3

例 整数が2つ×0.1の場合

掛ける数が0.1、0.2……0.9と、一の位が0で小数点以下第一位が0でない場合、ルール2の位置においた人さし指は動かさない。

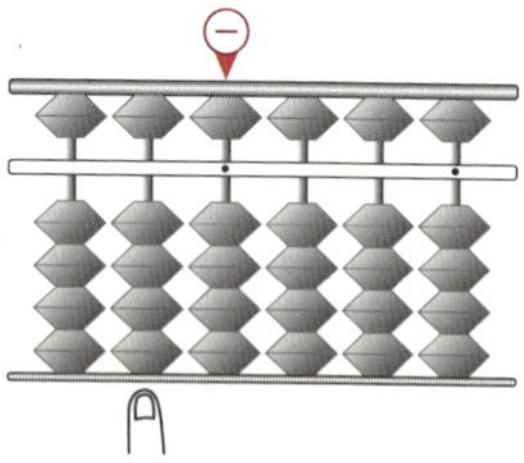

ルール4

掛ける数が、0.01、0.02……0.09と、一の位が0、小数点以下第一位も0で、小数点以下第二位の場合、ルール2の位置においた人さし指を1つ右に移す。

例
整数が
2つ×0.01の場合

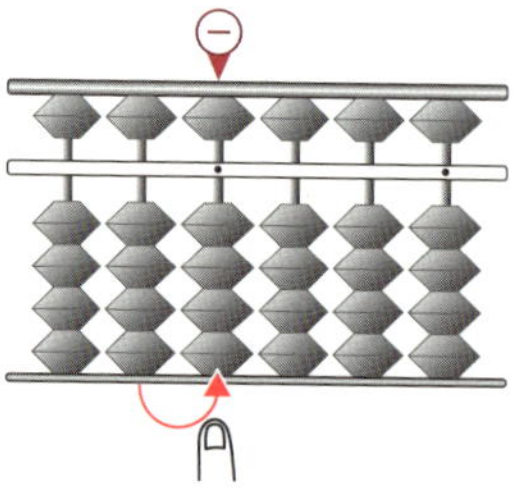

ルール5

左手の人さし指をおいたところを掛け算のスタート地点にする。ココが最初の九九の十の位になる。あとは、これまでの掛け算のやり方と同じで、九九と足し算をしていく。

こんなときは？ 31×●●●

掛ける数が0.25の場合	小数点以下第一位が0ではないので、ルール2の位置においた人さし指は動かしません。
掛ける数が1.25の場合	掛ける数に整数が1つあり、整数は全部で3つ。一の位の定位点を含む整数の数だけ左に人さし指を移します。
掛ける数が0.025の場合	小数点以下第一位が0の場合(0.01~0.09)、ルール4に従って、人さし指を1つ右に移します。

答え ①26.22　②18.84　③1.395　④2.916　⑤2.785

その1　3.15×5の答えを求める

1 整数の数は2つなので、一の位の定位点を含んで2つ左に、左手の人さし指を添えます。ココが最初の九九の十の位になります。

3.15 × 5　整数2

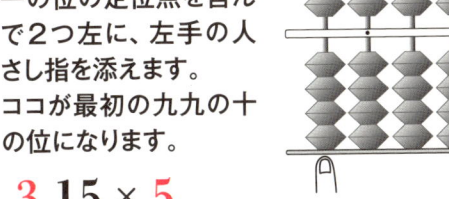

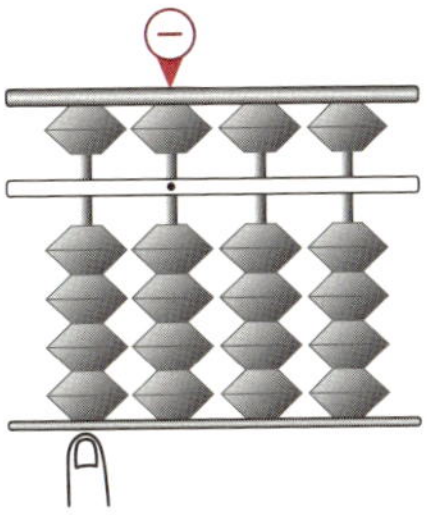

2 数字から小数点を取り、315×5と考えて大きな位から九九を始めます。5×3=15をおきます。

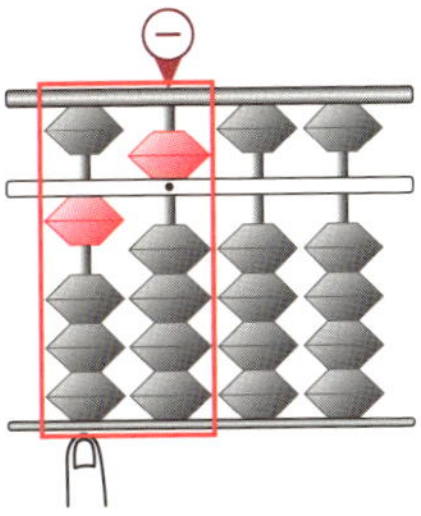

315 × 5

3 答えを足す場所を1つ右に移し、5×1=5（ごいちがご）を足します。「が」がつくので、05とおきます。

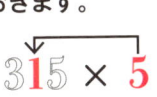

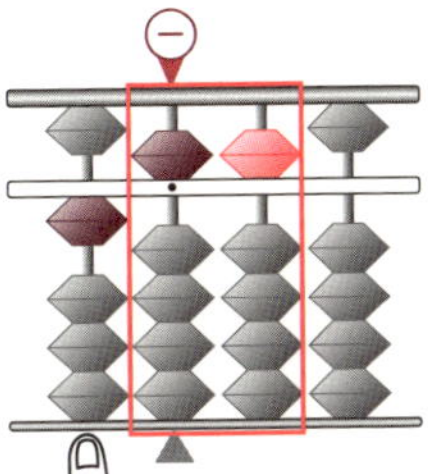

九九の十の位

315 × 5

4 答えを足す場所を1つ右に移し、5×5=25を足します。

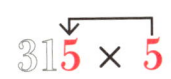

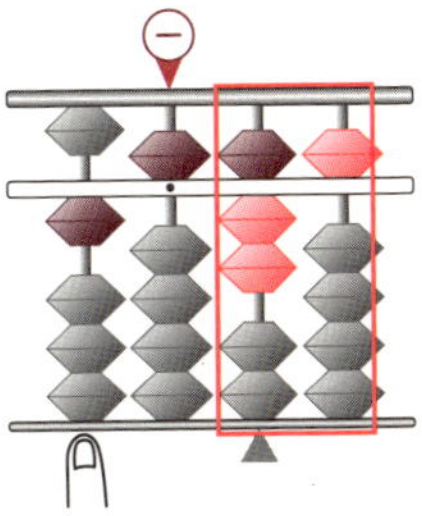

315 × 5

答え 15.75

その2　3.15×0.5の答えを求める

1 整数の数は1つなので、一の位の定位点を含んで1つ、つまり定位点に左手の人さし指を添えます。次に掛ける数をみます。0.5と小数点以下第一位までなので、人さし指はそのままの位置にします ルール3。ココが最初の九九の十の位になります。

3.15 × 0.5　整数1

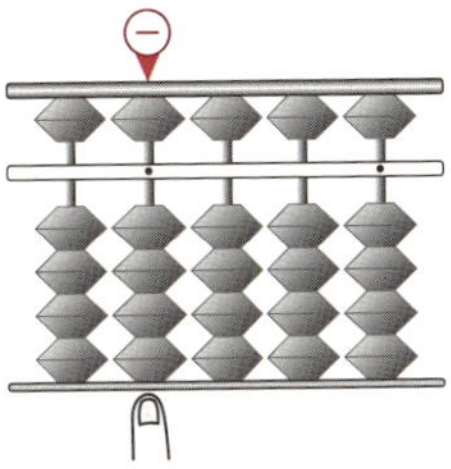

2 数字から小数点を取り、315×5と考えて大きな位から九九を始めます。5×3=15をおきます。

315 × 5

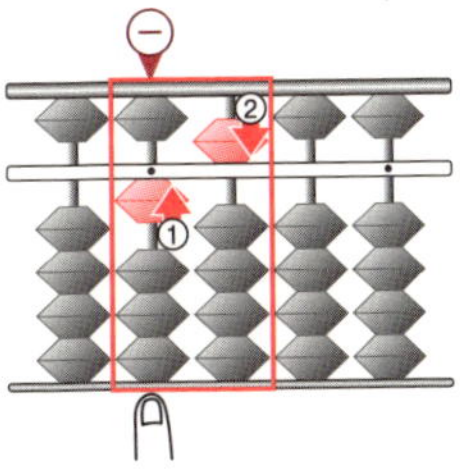

3 答えを足す場所を1つ右に移し、5×1=5（ごいちがご）を足します。「が」がつくので、05とおきます。

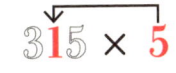

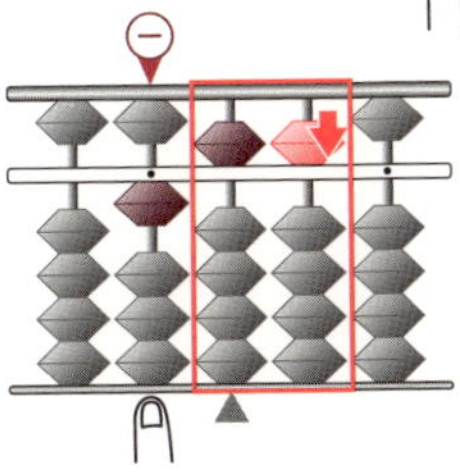

315 × 5

4 答えを足す場所を1つ右に移し、5×5=25をおきます。

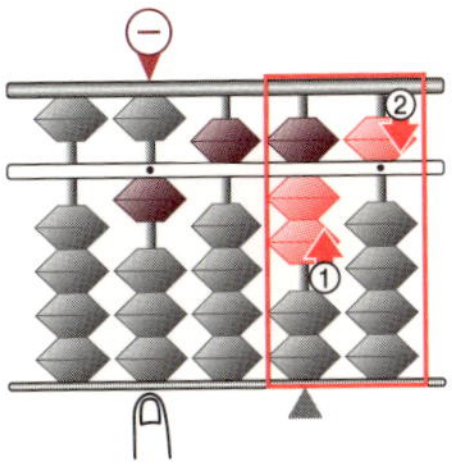

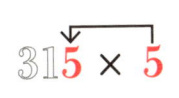

315 × 5

答え 1.575

0.5を掛ける場合は、左手の人さし指の位置はそのまま。0.05を掛ける場合は右に1つ移し、0.005では右に2つ移します。

練習問題（答えはP72）

❶ 8.74 × 3 =

❷ 3.14 × 6 =

❸ 4.65 × 0.3 =

❹ 7.29 × 0.4 =

❺ 5.57 × 0.5 =

その3 3.15×0.05の答えを求める

1 整数の数は1つなので、一の位の定位点を含んで1つ、つまり定位点に左手の人さし指を添えます。次に掛ける数をみます。0.05なので、人さし指を右に1つ移します ルール4 。ココが最初の九九の十の位になります。

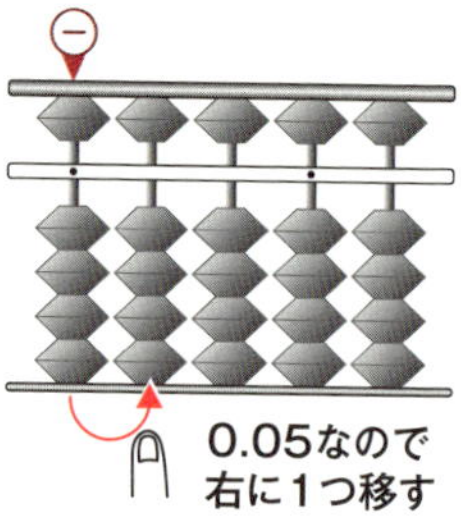

3.15 × 0.05
整数1

2 数字から小数点を取り、315×5と考えて大きな位から九九を始めます。5×3=15をおきます。

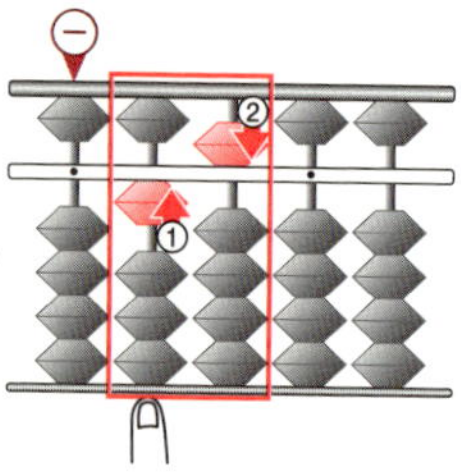

315 × 5

3 答えを足す場所を1つ右に移し、5×1=5（ごいちがご）を足します。「が」がつくので、05とおきます。

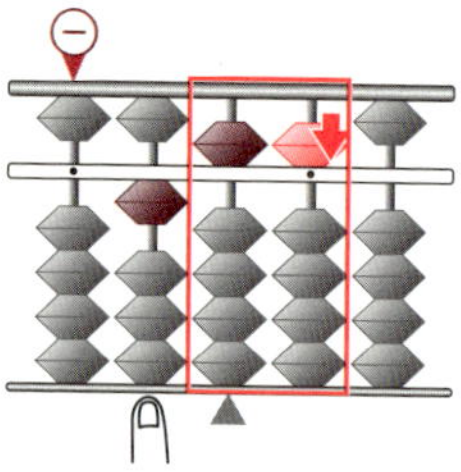

315 × 5

4 答えを足す場所を1つ右に移し、5×5=25を足します。

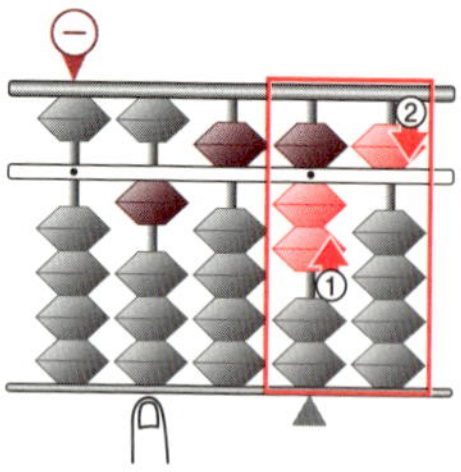

315 × 5

答え 0.1575

その4 31.5×0.05の答えを求める

1 整数の数は2つなので、一の位の定位点を含んで2つ左に、左手の人さし指を添えます。次に掛ける数字をみます。0.05なので、人さし指を1つ右に移します ルール4 。ココが最初の九九の十の位になります。

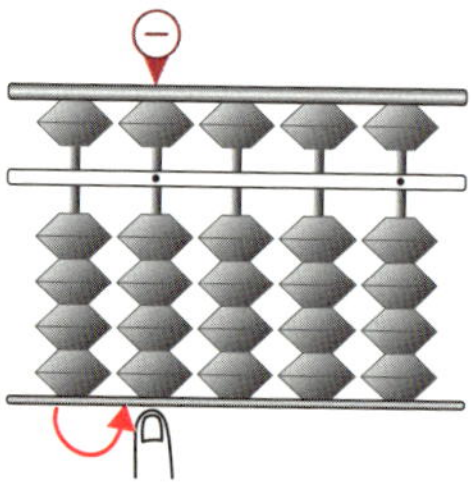

31.5 × 0.05
整数2

2 数字から小数点を取り、315×5と考えて大きな位から九九を始めます。5×3=15を足します。

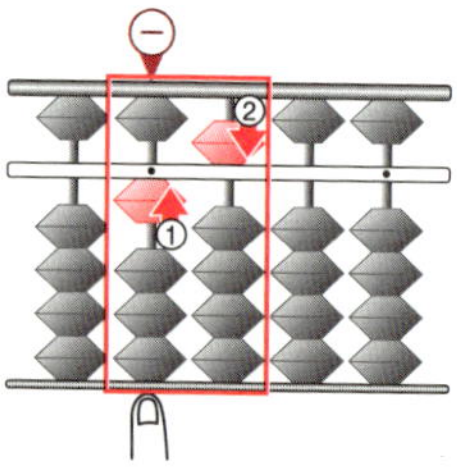

315 × 5

3 答えを足す場所を1つ右に移し、5×1=5（ごいちがご）を足します。「が」がつくので、05とおきます。

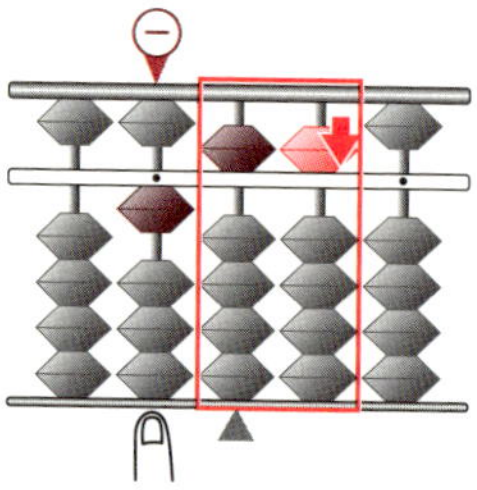

315 × 5

4 答えを足す場所を1つ右に移し、5×5=25を足します。

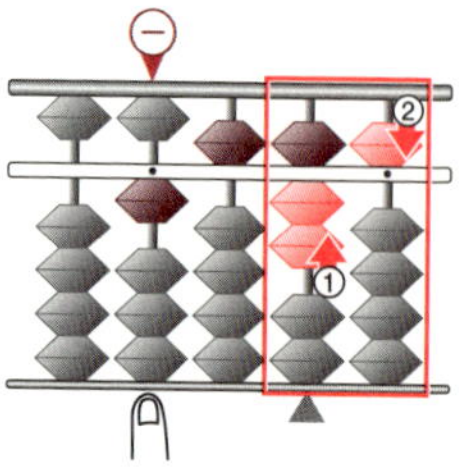

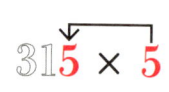

315 × 5

答え 1.575

Let's challenge!

小数の掛け算

答えはP75下

整数の数だけ左に、掛ける数の小数点以下の0の数によって右に、左手の人さし指を動かして、九九のスタート位置を決めれば、あとは数字から小数点を取って掛け算をしましょう。

❶	4.25	×	5	=
❷	3.58	×	6	=
❸	5.23	×	4	=
❹	7.44	×	8	=
❺	8.04	×	7	=
❻	9.77	×	3	=
❼	4.53	×	9	=
❽	2.11	×	8	=
❾	6.04	×	2	=
❿	6.24	×	0.6	=
⓫	9.95	×	0.3	=
⓬	3.61	×	0.7	=
⓭	8.32	×	0.5	=
⓮	2.94	×	0.8	=
⓯	3.59	×	0.4	=
⓰	4.35	×	0.5	=
⓱	8.13	×	0.2	=
⓲	4.44	×	0.8	=
⓳	2.99	×	0.4	=
⓴	5.09	×	0.5	=
㉑	4.07	×	0.04	=
㉒	9.24	×	0.03	=
㉓	5.79	×	0.06	=
㉔	2.21	×	0.05	=
㉕	3.49	×	0.07	=
㉖	5.99	×	0.08	=
㉗	6.27	×	0.04	=
㉘	4.86	×	0.03	=
㉙	9.01	×	0.09	=
㉚	3.19	×	0.05	=
㉛	45.9	×	3	=
㉜	55.7	×	6	=
㉝	37.1	×	3	=
㉞	70.7	×	5	=
㉟	22.4	×	7	=
㊱	31.4	×	0.7	=
㊲	98.2	×	0.5	=
㊳	47.3	×	0.4	=
㊴	27.4	×	0.9	=
㊵	30.5	×	0.3	=

答え

①21.25 ②21.48 ③20.92 ④59.52 ⑤56.28 ⑥29.31 ⑦40.77 ⑧16.88
⑨12.08 ⑩3.744 ⑪2.985 ⑫2.527 ⑬4.16 ⑭2.352 ⑮1.436 ⑯2.175 ⑰1.626
⑱3.552 ⑲1.196 ⑳2.545 ㉑0.1628 ㉒0.2772 ㉓0.3474 ㉔0.1105 ㉕0.2443
㉖0.4792 ㉗0.2508 ㉘0.1458 ㉙0.8109 ㉚0.1595 ㉛137.7 ㉜334.2 ㉝111.3
㉞353.5 ㉟156.8 ㊱21.98 ㊲49.1 ㊳18.92 ㊴24.66 ㊵9.15

COLUMN 3

すぐれた計算器、最強の教具として世界から注目を浴びるそろばん

日本で独自に進化・発展したそろばんは、現在もすぐれた計算器として、今や世界中で使われています。そろばんは、中国語で「スワンバン」、ロシア語では「ショティ」と呼ばれていますが、アメリカやヨーロッパなどでは、日本語の「そろばん」がそのまま使われています。世界でも権威のあるイギリスの辞典である『ウェブスター』の国際語版には、「Soroban」という語が掲載されていることからも、日本のそろばんはグローバルといえるでしょう。

トモエそろばんは、アメリカ、イギリス、ロシア、中国、台湾などのアジア諸国、アフリカなど世界48カ国にそろばんを輸出していますが、実際に使われている国はもっと多いといわれています。そろばんは、決して過去のものではないのです。

また、そろばんは計算道具としてはもちろん、最近では「世界最高の算数教具」と評価されており、近年、アメリカでは、算数の理解を深める教材としてそろばんを取り入れる公立学校が増えているといいます。それだけ、そろばんの効果が期待されているのです。

このように、21世紀のデジタル社会の中でも、そろばんは昔と変わらぬ形で世界中から注目され、愛されています。

5 章

指を添えて行う
割り算

そろばんの割り算は、九九と引き算が基本となります。
左手の人さし指をどこにおくかがポイント。
最初はとまどうかもしれませんが、
何度も繰り返してマスターしましょう。

Lesson 19

簡単な割り算（2桁÷1桁）

そろばんの割り算は、九九の答えを割られる数から、引き算をして計算します。
ここでは、そろばんに割られる数をおく方法での割り算を紹介しましょう。

96÷4から学ぶ！ 割り算のルール

「96の中に4がいくつあるか」と考えず、十の位と一の位に分けて、
まず大きな位から「9の中に4がいくつあるか」と考えます。

ルール1

そろばんに、割られる数の96をおきます。

96 ÷ 4

割られる数　割る数

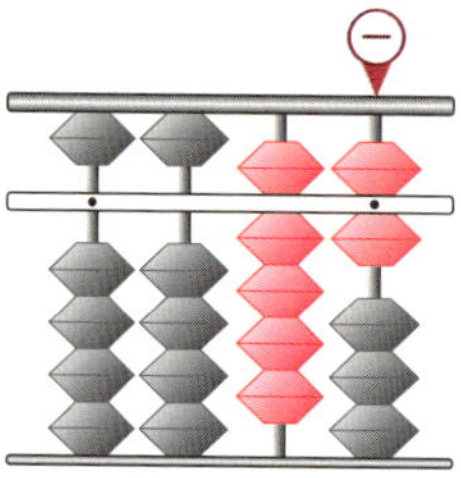

ルール2

割る数が1桁の場合、そろばんにおいた数の一の位の定位点から、左に2つ移ったところに左手の人さし指を添えます。

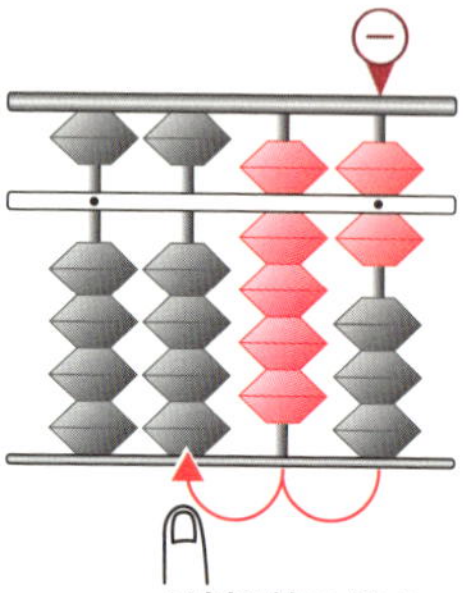

ルール3

割られる数の9の中に、割る数の4がいくつあるかをみます。9に一番近い答えになる九九は4×2＝08（しにがはち）なので、その答えは2。これを、割られる数の9の横1つあけたところにおき、九九の答えを9から引きます。

★九九の「が」は、十の位の「0」を表します。「が」がつく九九で割り算の答えが出た場合、十の位は0。従って、9の隣に2をおかないで、1つあいたところに答えの2をおきます。

4《し》 × 2《に》 ＝ 08《「が」はち》

割る数　9の中に4がいくつあるか

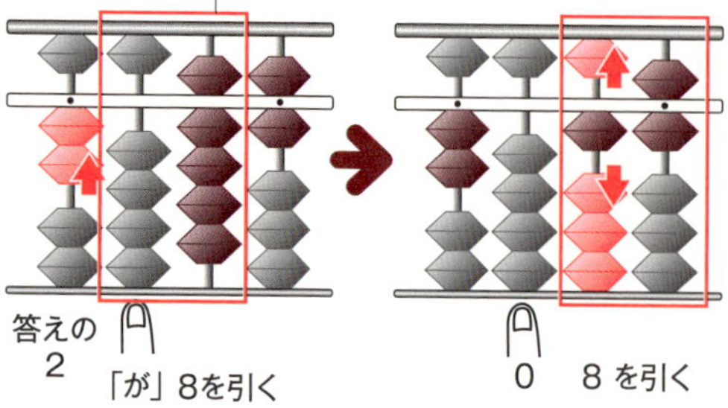

ルール4

残った16の中に、4がいくつあるかをみます。答えの4を16のすぐ左（人さし指を添えたところ）におき、4×4＝16の九九の答えを引きます。

4 × 4 ＝ 16

割る数　16の中に4がいくつあるか

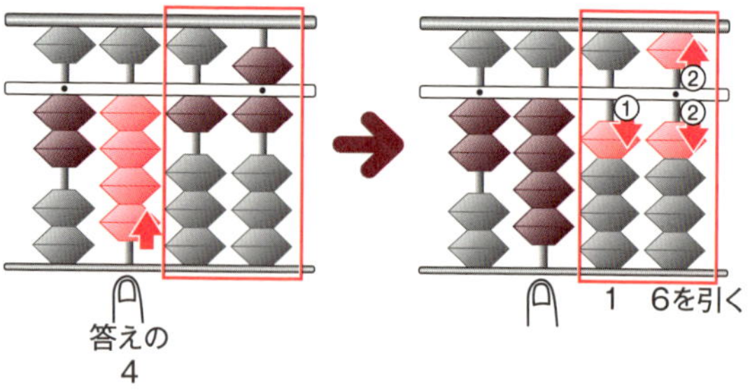

答え 24

割る数が4の場合、4の段の九九を頭に思い浮かべ、割られる数に最も近い九九を出しましょう。

答え ①28　②28　③13　④14　⑤15

その1　64÷4の答えを求める

1　64をおきます。割る数が1桁なので、左手の人さし指を一の位の定位点から左に2つ移したところに添えます。

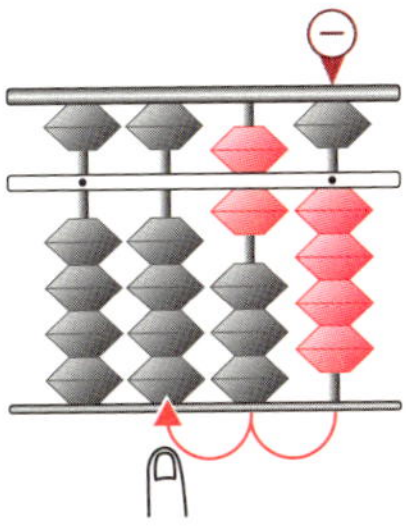

2　6の中に4がいくつあるかをみます。6に一番近い答えになる九九は4×1=04（しいちがし）なので、答えは1。「が」がつく九九なので、割られる6の横1つあけたところにおき、九九の答えを6から引きます。ここでは4が引けないので、（5−4）の答えの1を足してから、五玉を引きます。

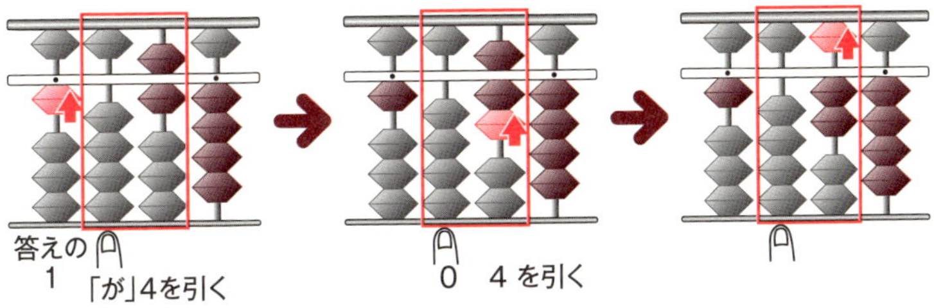

3　残った24の中に、4がいくつあるかをみます。4×6=24なので、答えは6。これを24のすぐ左におき、4×6=24の九九の答えを引きます。

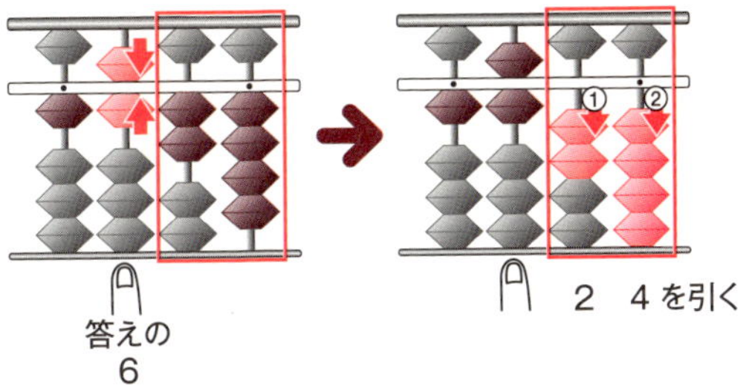

答え **16**

その2　99÷3の答えを求める

1　99をおきます。割る数が1桁なので、左手の人さし指を一の位の定位点から左に2つ移したところに添えます。

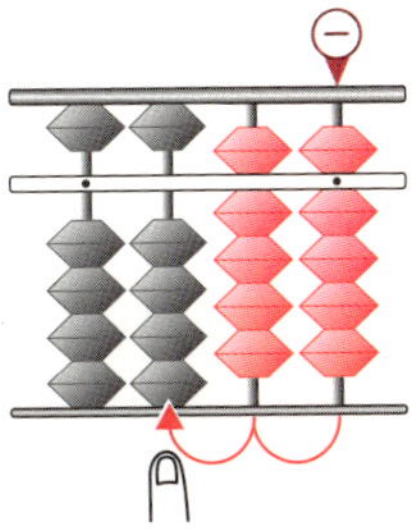

2　9の中に3がいくつあるかをみます。3×3=09なので、答えは3。これを9の横1つあけたところにおき、九九の答えを9から引きます。

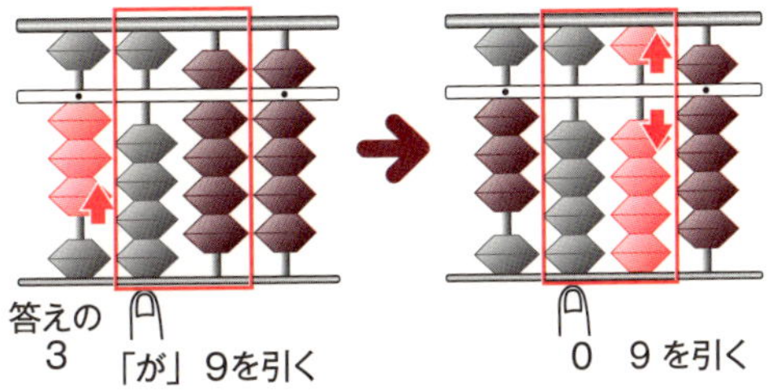

3　残った9の中に、3がいくつあるかをみます。3×3=09なので、答えは3。これを9の横1つあけたところにおき、九九の答えを9から引きます。

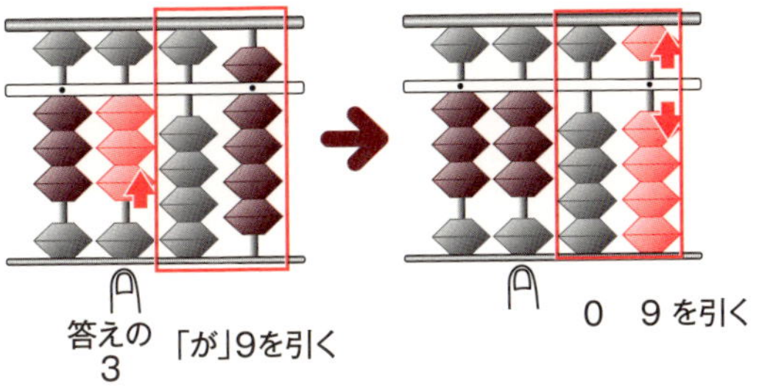

答え **33**

練習問題（答えはP78）

❶　56 ÷ 2　=

❷　84 ÷ 3　=

❸　91 ÷ 7　=

❹　84 ÷ 6　=

❺　75 ÷ 5　=

Lesson 20　3桁÷1桁の割り算

割る数が1桁なので、そろばんにおいた数の一の位の定位点から、
左に2つ移ったところに左手の人さし指を添えます。あとは、2桁÷1桁と同様、
九九の答えを割られる数から引いていきます。

その1　285÷5の答えを求める

1 285をおきます。割る数が1桁なので、左手の人さし指を一の位の定位点から左に2つ移したところに添えます。ココが割り算の答の一の位になります。

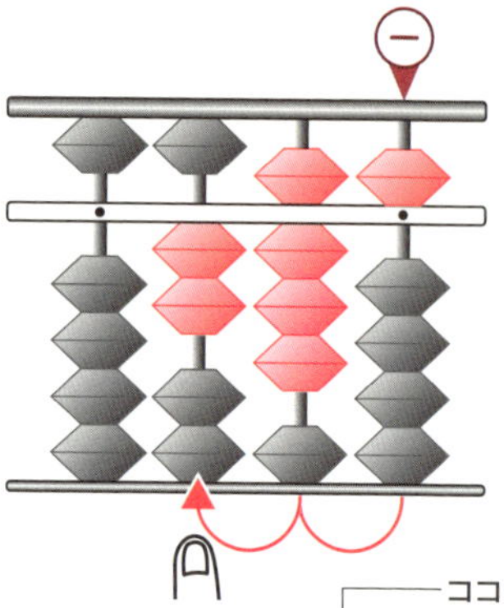

2 最初の2の中に5はないので、次に28の中に5がいくつあるかをみます。28に一番近い答えになる九九は5×5=25なので、答えは5。これを28のすぐ左におき、九九の答えを28から引きます。

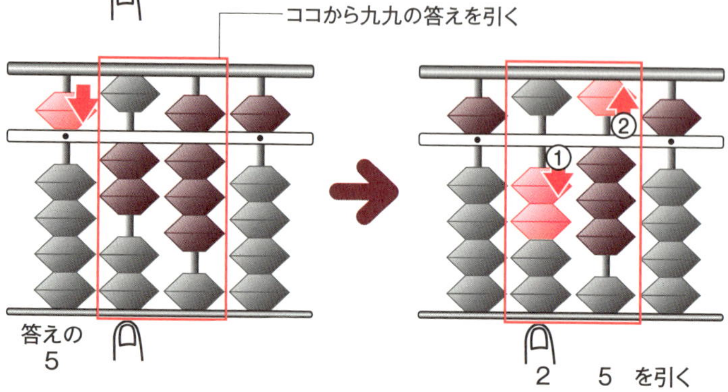

3 残った35の中に5がいくつあるかをみます。5×7=35なので、答えは7。これを35のすぐ左におき、九九の答えを35から引きます。

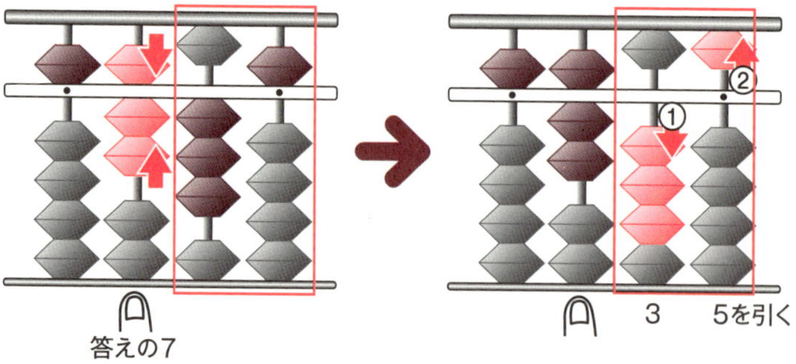

答え **57**

割る数が5の場合、5の段の九九を頭に思い浮かべ、割られる数に最も近い九九を出しましょう。そして掛ける数、5×5なら答えの5をそろばんにおいていきます。割られる桁数が増えても、人さし指を添えたところが、答えの一の位になります。

答え　①113　②56　③480　④295　⑤66

その2 408÷8の答えを求める

1

408をおきます。割る数が1桁なので、左手の人さし指を一の位の定位点から左に2つ移したところに添えます。

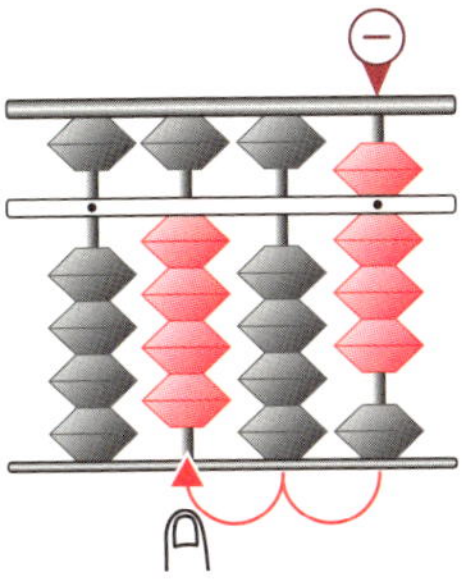

2

4の中に8はないので、次に40の中に8がいくつあるかをみます。8×5=40なので、答えは5。これを40のすぐ左におき、九九の答えを40から引きます。

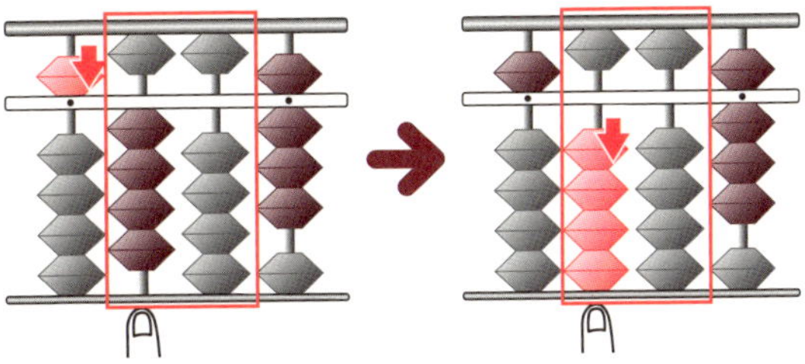

3

残った8の中に8がいくつあるかをみます。8×1=08(はちいちがはち)なので、答えは1。これを8の横1つあけたところにおき、九九の答えを8から引きます。

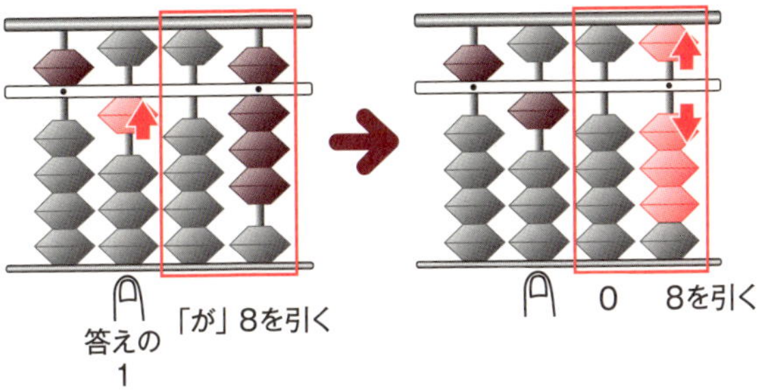

答え 51

その3 840÷6の答えを求める

1

840をおきます。割る数が1桁なので、左手の人さし指を一の位の定位点から左に2つ移したところに添えます。

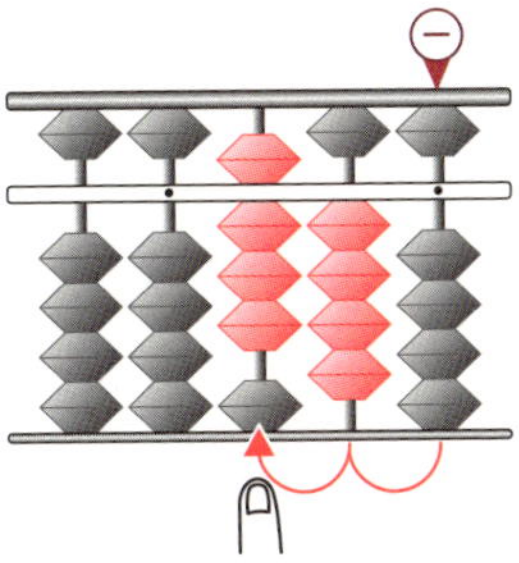

2

8の中に6がいくつあるかをみます。8に一番近い答えになる九九は6×1=06(ろくいちがろく)なので、答えは1。これを8の横1つあけたところにおき、九九の答えを8から引きます。

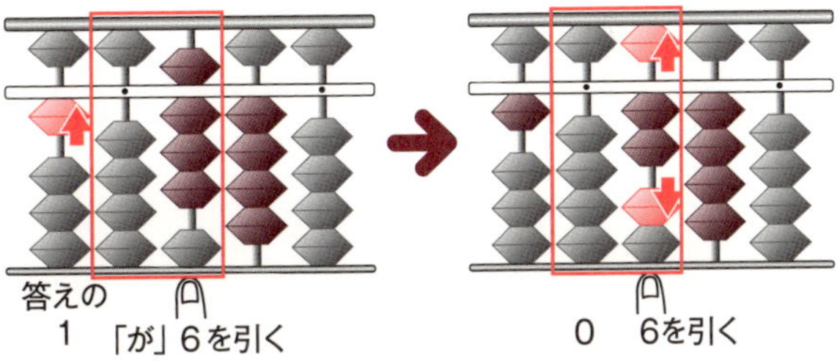

3

次に24の中に6がいくつあるかをみます。6×4=24なので、答えは4。これを24のすぐ左におき、九九の答えを24から引きます。割られる数が0なので計算はここで終了。

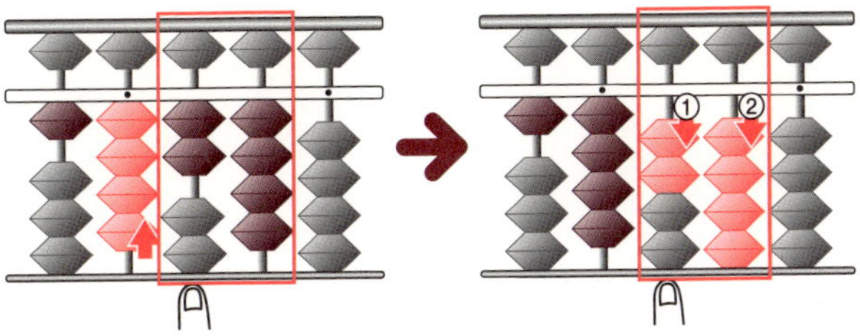

答え 140

練習問題(答えはP80)

❶ 339 ÷ 3 =

❷ 504 ÷ 9 =

❸ 960 ÷ 2 =

❹ 885 ÷ 3 =

❺ 462 ÷ 7 =

Let's Challenge!

2桁÷1桁／3桁÷1桁の割り算

答えはP83下

割る数が1桁の割り算の問題です。左手の人さし指を一の位の定位点から左に2つ移したところに添え、計算を始めます。割る数の九九の段を思い浮かべながら、数字をおいていきましょう。

❶ 72 ÷ 6 ＝ □

この数字は?

体重が72kgの人の月での体重。月の重力は、地球の約6分の1。そのため、重さも6分の1になります。体が重くてフーフー言っている人も、月ではフワフワ身軽に動ける?!

❷ 63 ÷ 9 ＝ □

この数字は?

500円硬貨1枚の重さ（単位はg）。500円硬貨が登場したのは1982年4月。それまでは紙幣でした。2000年にデザインと材質が変わり、重さも0.2g軽くなりました。

❸ 135 ÷ 9 ＝ □

この数字は?

料理で使う計量スプーン、大さじ1の容量（単位はml）。ちなみに、小さじ1は5ml。みそ大さじ1とは、山盛りにすくい上げたみそを、へらで平らにすりきったものをいいます。

④ 60 ÷ 4 =

⑤ 72 ÷ 3 =

⑥ 92 ÷ 4 =

⑦ 46 ÷ 2 =

⑧ 84 ÷ 7 =

⑨ 78 ÷ 6 =

⑩ 96 ÷ 8 =

⑪ 84 ÷ 4 =

⑫ 52 ÷ 4 =

⑬ 90 ÷ 5 =

⑭ 93 ÷ 3 =

⑮ 80 ÷ 5 =

⑯ 536 ÷ 8 =

⑰ 270 ÷ 5 =

⑱ 268 ÷ 4 =

⑲ 343 ÷ 7 =

⑳ 336 ÷ 6 =

㉑ 200 ÷ 4 =

㉒ 483 ÷ 7 =

㉓ 210 ÷ 5 =

㉔ 320 ÷ 4 =

㉕ 280 ÷ 5 =

㉖ 166 ÷ 2 =

㉗ 369 ÷ 9 =

㉘ 372 ÷ 6 =

㉙ 188 ÷ 4 =

㉚ 156 ÷ 6 =

㉛ 140 ÷ 4 =

㉜ 104 ÷ 8 =

㉝ 220 ÷ 5 =

㉞ 276 ÷ 6 =

㉟ 355 ÷ 5 =

㊱ 165 ÷ 5 =

㊲ 558 ÷ 6 =

㊳ 279 ÷ 3 =

㊴ 497 ÷ 7 =

㊵ 413 ÷ 7 =

㊶ 288 ÷ 9 =

㊷ 258 ÷ 3 =

㊸ 468 ÷ 6 =

㊹ 273 ÷ 3 =

㊺ 292 ÷ 4 =

㊻ 544 ÷ 8 =

㊼ 376 ÷ 8 =

㊽ 496 ÷ 8 =

㊾ 195 ÷ 3 =

㊿ 573 ÷ 3 =

(51) 316 ÷ 4 =

(52) 688 ÷ 8 =

(53) 231 ÷ 7 =

答え

①12 ②7 ③15 ④15 ⑤24 ⑥23 ⑦23 ⑧12 ⑨13 ⑩12 ⑪21
⑫13 ⑬18 ⑭31 ⑮16 ⑯67 ⑰54 ⑱67 ⑲49 ⑳56 ㉑50 ㉒69
㉓42 ㉔80 ㉕56 ㉖83 ㉗41 ㉘62 ㉙47 ㉚26 ㉛35 ㉜13 ㉝44
㉞46 ㉟71 ㊱33 ㊲93 ㊳93 ㊴71 ㊵59 ㊶32 ㊷86 ㊸78 ㊹91
㊺73 ㊻68 ㊼47 ㊽62 ㊾65 ㊿191 (51)79 (52)86 (53)33

Lesson 21

割りきれない割り算

割り算には、最後に割られる数が0にならない、割りきれない計算式もあります。
基本は、Lesson19（P78）の割り算と同じです。
なお、本書では、答えは四捨五入して、小数点以下第二位までを求めます。

その1　93÷7の答えを求める

1 93をおきます。割る数が1桁なので、左手の人さし指を一の位の定位点から左に2つ移したところに添えます（割り算のルール2）。ココが答えの一の位になります。

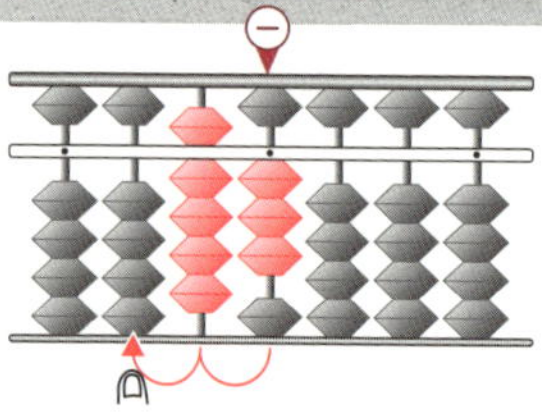

左手の人さし指が答えの一の位。人さし指より右は、小数点以下の数字になります。

2 9の中に7がいくつあるかをみます。7×1=07（しちいちがしち）なので、答えは1。これを9の左横1つあけたところにおき、九九の答えを3から引きます ルール3 。

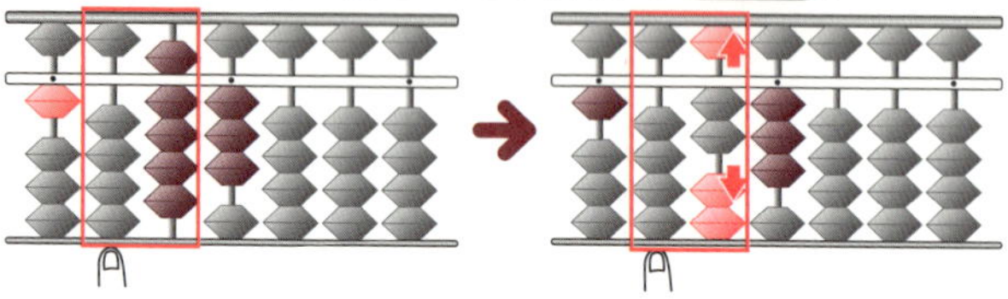

3 次に23の中に7がいくつあるかと考えます。23に一番近い答えになる掛け算は7×3=21なので、答えは3。これを2のすぐ左におき、九九の答えを23から引きます。

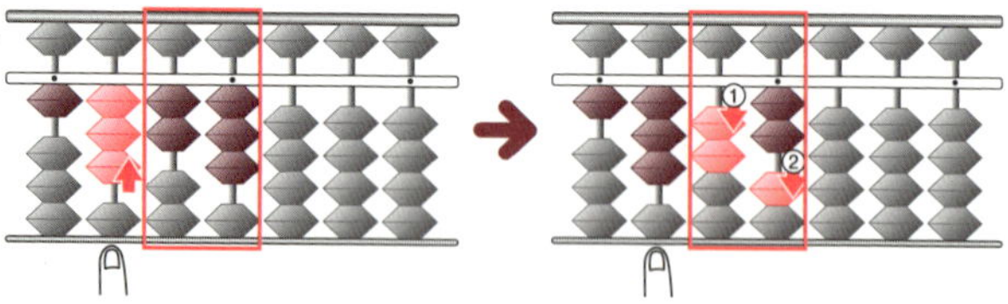

4 残った2の中に7はないので、次に20の中に7がいくつあるかと考えます。20に一番近いのは7×2=14なので、答えは2。これを2のすぐ左におき、九九の答えを20から引きます。一の位の4が引けないので、まず10を引き、（10−4）の6を足します。

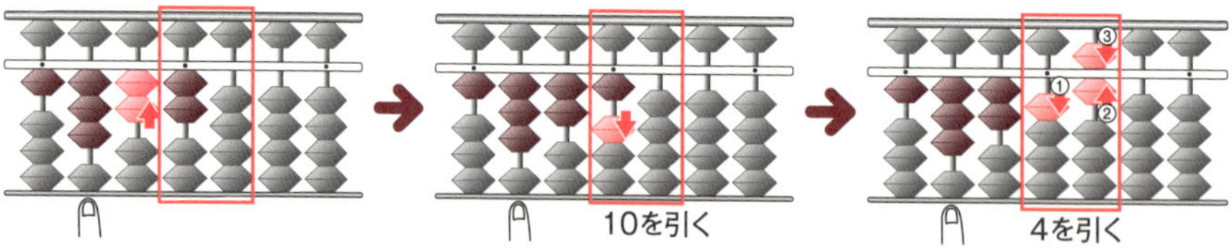

5 次に60の中に7がいくつあるかと考えます。60に一番近いのは7×8=56なので、答えは8。これを6のすぐ左におき、九九の答えを60から引きます。一の位の6が引けないので、まず10を引き、（10−6）の4を足します。

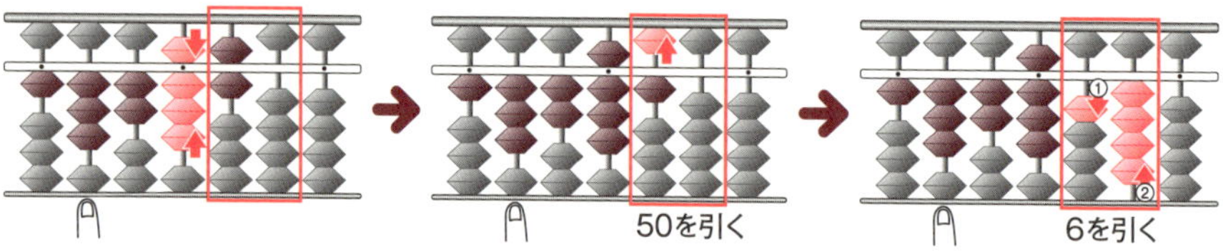

6 次に40の中に7がいくつあるかと考えます。40に一番近いのは7×5=35なので、答えは5。これを4のすぐ左におき、九九の答えを40から引きます。一の位の5が引けないので、まず10を引き、（10−5）で五玉を足します。

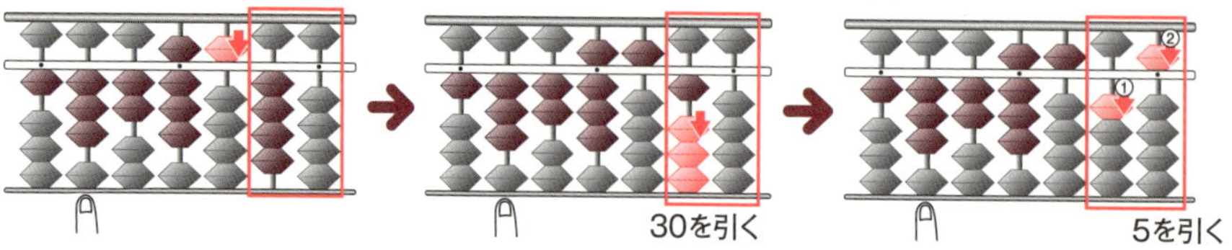

⑥までの答えは、13.285。まだ計算を続けることはできますが、本書では、答えは小数点以下第二位までとしているので、小数点以下第三位までを求め、5を四捨五入します。

13.285

小数点以下第一位
小数点以下第二位
小数点以下第三位

答え 13.29

答え ①5.67　②28.33　③5.83　④13.57　⑤6.67

その2　79÷9の答えを求める

1

79をおきます。割る数が1桁なので、左手の人さし指を一の位の定位点から左に2つ移したところに添えます。

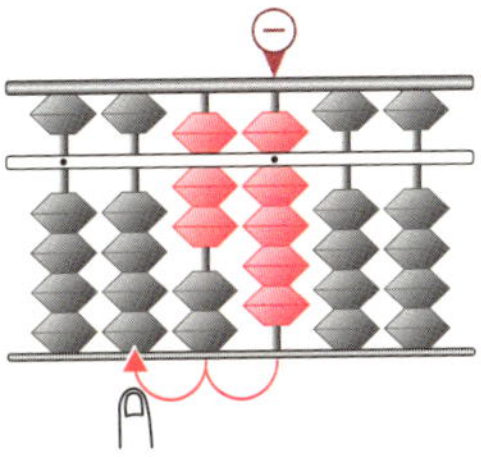

2

7の中に9がいくつあるかをみます。7の中に9はないので、次に79の中に9がいくつあるかと考えます。79に一番近いのは9×8=72なので、答えは8。これを7のすぐ左におき、九九の答えを79から引きます。

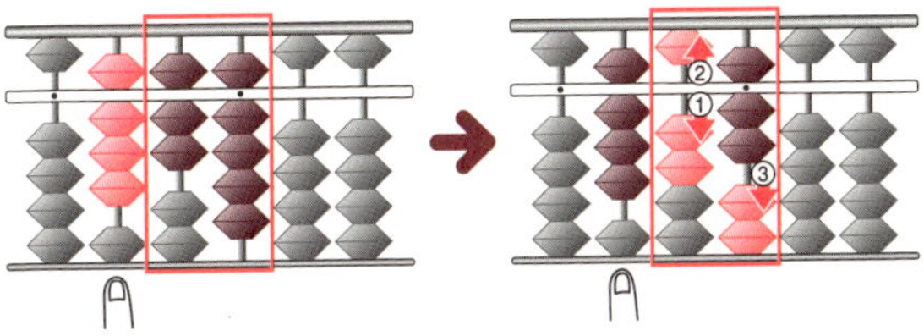

3

次に70の中に9がいくつあるかと考えます。70に一番近いのは9×7=63なので、答えは7。これを7のすぐ左におき、九九の答えを70から引きます。

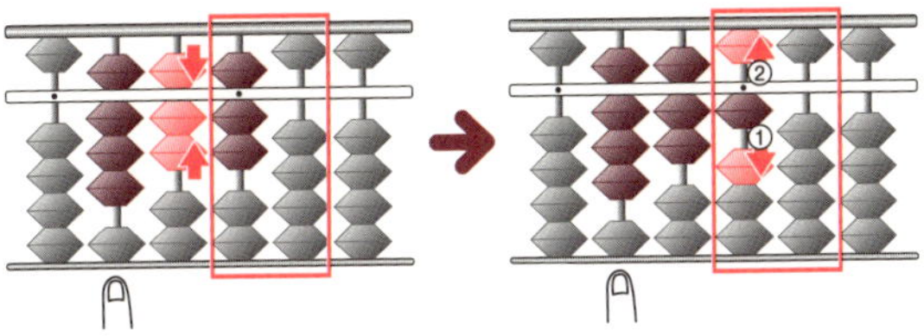

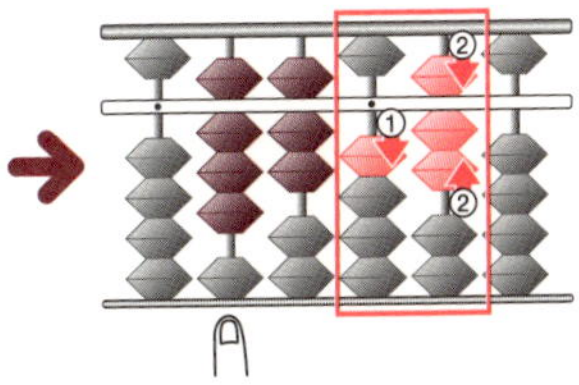

残ったのは7。ここまで、小数点以下1位までしか答えが出ていませんが、③と同じ数字なので、永遠に70から9×7=63を引いていくことになります。つまり、8.777…。ここで計算をやめ、小数点以下第三位を四捨五入します。

残った数が同じ場合、答えが導き出されるので、小数点以下第三位まで計算を続けなくてもかまいません。

答え 8.78

その3　40÷3の答えを求める

1

40をおきます。割る数が1桁なので、左手の人さし指を一の位の定位点から左に2つ移したところに添えます。

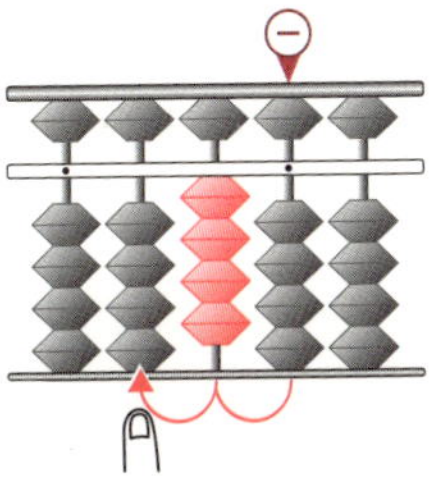

2

4の中に3がいくつあるかをみます。4に一番近いのは3×1=03(さんいちがさん)で、答えは1。これを4の左横1つあけたところにおき、九九の答えを4から引きます。

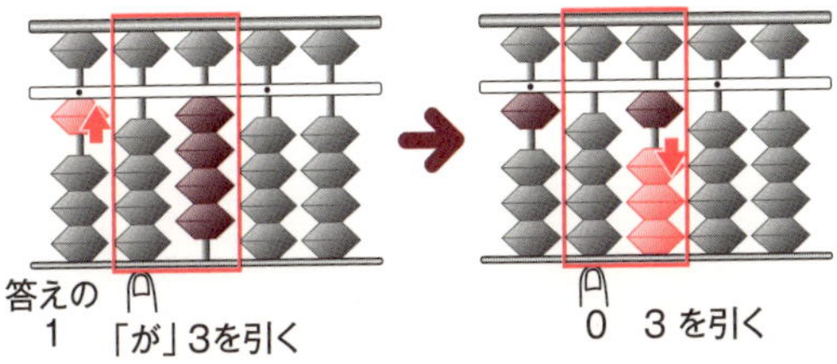

3

次に10の中に3がいくつあるかと考えます。10に一番近いのは3×3=09なので、答えは3。これを1のすぐ左におき、九九の答えを10から引きます。

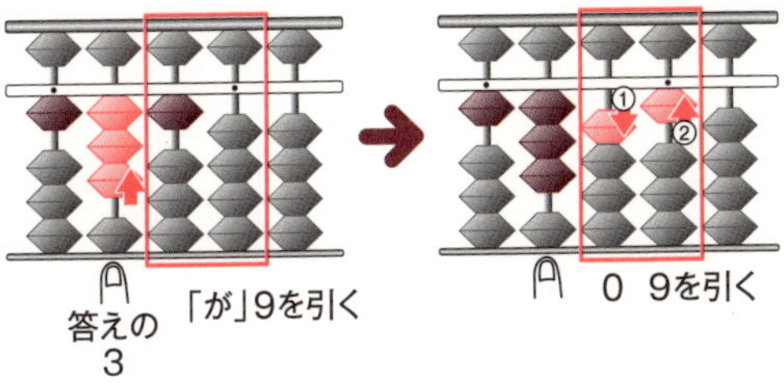

残ったのは1。③と同じ数字なので、ここで計算をやめ、小数点以下第三位を四捨五入します。

答え 13.33

練習問題(答えはP84)

❶ 17 ÷ 3 ＝

❷ 85 ÷ 3 ＝

❸ 35 ÷ 6 ＝

❹ 95 ÷ 7 ＝

❺ 60 ÷ 9 ＝

その4

205÷7の答えを求める

1 205をおきます。割る数が1桁なので、左手の人さし指を一の位の定位点から左に2つ移したところに添えます。

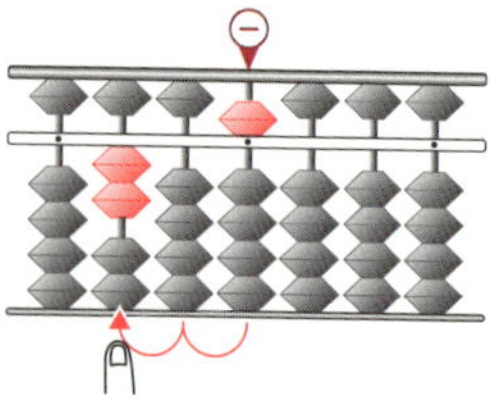

2 2の中に7がいくつあるかをみます。2の中に7はないので、次に20の中に7がいくつあるか考えます。20に一番近いのは7×2＝14なので、答えは2。これを2のすぐ左におき、九九の答えを20から引きます。

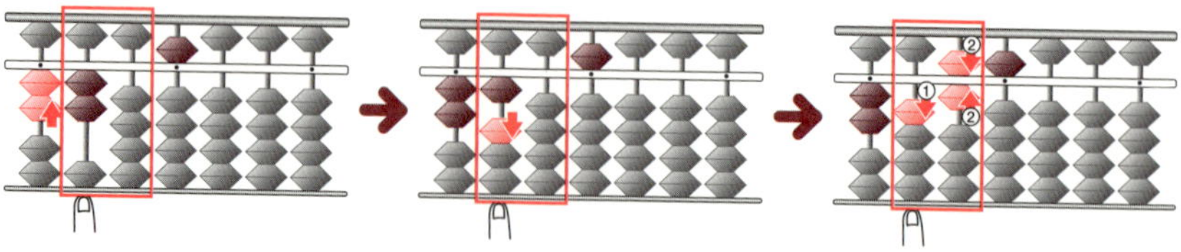

3 65の中に7がいくつあるかと考えます。65に一番近いのは7×9=63なので、答えは9。これを6のすぐ左におき、九九の答えを65から引きます。

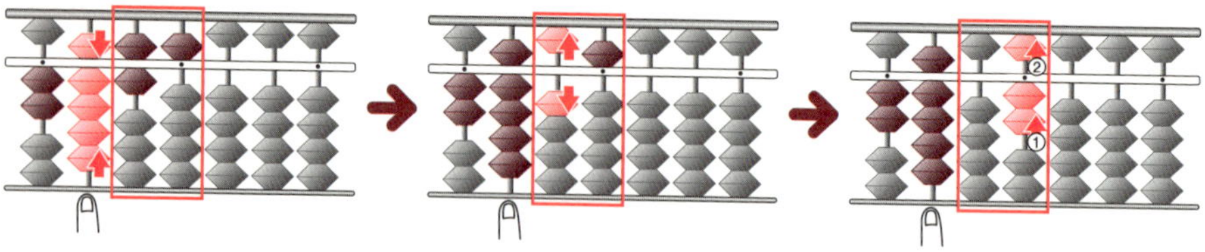

4 20の中に7がいくつあるかと考えます。20に一番近いのは7×2=14なので、答えは2。これを2のすぐ左におき、九九の答えを20から引きます。

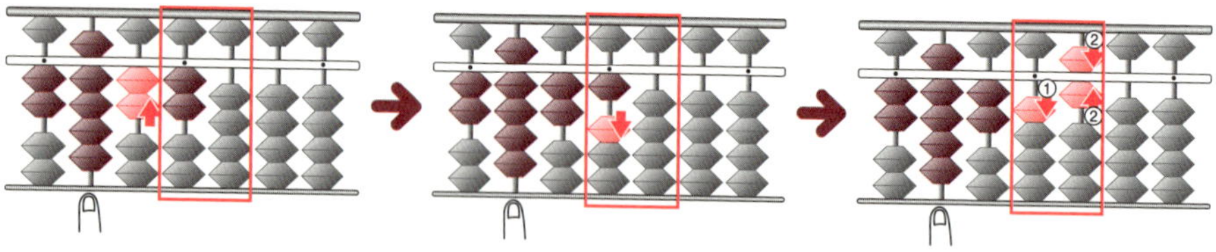

5 60の中に7がいくつあるかと考えます。60に一番近いのは7×8=56なので、答えは8。これを4のすぐ左におき、九九の答えを60から引きます。

6 40の中に7がいくつあるかと考えます。40に一番近いのは7×5=35なので、答えは5。これを4のすぐ左におき、九九の答えを40から引きます。

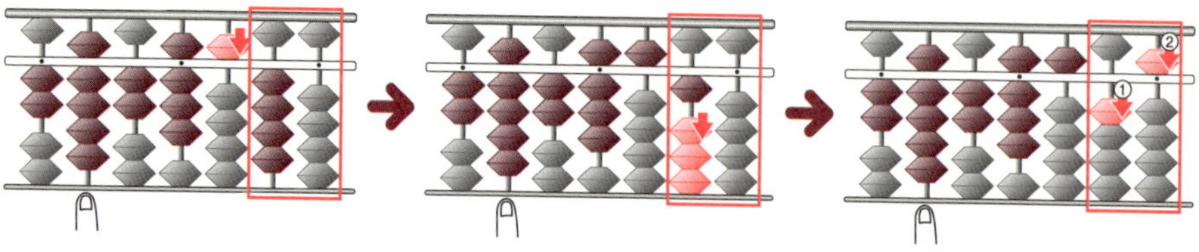

⑥の次は50の中に7がいくつかあるかと考え、計算は続きますが、ここで計算をやめ、小数点以下第三位を四捨五入します。

答え 29.29

Let's Challenge!

割りきれない割り算

答えはP87下

答えが割りきれないだけで、九九の答えを引いていくというやり方は同じです。
本書では、小数点以下第三位は四捨五入して、小数点以下第二位を答えとします。

1	19 ÷ 7 =	
2	39 ÷ 9 =	
3	16 ÷ 3 =	
4	97 ÷ 3 =	
5	22 ÷ 7 =	
6	80 ÷ 6 =	
7	14 ÷ 3 =	
8	99 ÷ 7 =	
9	41 ÷ 6 =	
10	77 ÷ 9 =	
11	37 ÷ 6 =	
12	23 ÷ 3 =	
13	53 ÷ 6 =	
14	29 ÷ 7 =	
15	33 ÷ 9 =	
16	84 ÷ 9 =	
17	62 ÷ 3 =	
18	13 ÷ 9 =	
19	53 ÷ 7 =	
20	65 ÷ 3 =	

21	123 ÷ 7 =	
22	124 ÷ 3 =	
23	222 ÷ 9 =	
24	191 ÷ 6 =	
25	200 ÷ 3 =	
26	188 ÷ 7 =	
27	193 ÷ 9 =	
28	133 ÷ 6 =	
29	150 ÷ 9 =	
30	166 ÷ 6 =	
31	104 ÷ 7 =	
32	118 ÷ 9 =	
33	205 ÷ 3 =	
34	196 ÷ 9 =	
35	113 ÷ 3 =	
36	250 ÷ 7 =	
37	213 ÷ 9 =	
38	244 ÷ 9 =	
39	309 ÷ 7 =	
40	444 ÷ 9 =	

答え

①2.71 ②4.33 ③5.33 ④32.33 ⑤3.14 ⑥13.33 ⑦4.67 ⑧14.14 ⑨6.83
⑩8.56 ⑪6.17 ⑫7.67 ⑬8.83 ⑭4.14 ⑮3.67 ⑯9.33 ⑰20.67 ⑱1.44
⑲7.57 ⑳21.67 ㉑17.57 ㉒41.33 ㉓24.67 ㉔31.83 ㉕66.67 ㉖26.86
㉗21.44 ㉘22.17 ㉙16.67 ㉚27.67 ㉛14.86 ㉜13.11 ㉝68.33 ㉞21.78
㉟37.67 ㊱35.71 ㊲23.67 ㊳27.11 ㊴44.14 ㊵49.33

COLUMN 4

割り算九九を知っていますか？

中国からそろばんと一緒に伝わったといわれるのが、「わりごえ」という割り算の九九でした。掛け算の九九のようにして覚えて使っていたようです。余りの数字もわかるようになっているのが、おもしろいですね。

2の段	二一天作の五 にいちてんさくのご （10÷2=5）	二進の一進 にしんのいっしん （2÷2=1）						
3の段	三一三十の一 さんいちさんじゅうのいち （10÷3=3・・・1）	三二六十の二 さんにろくじゅうのに （20÷3=6・・・2）	三進の一進 さんしんのいっしん （3÷3=1）					
4の段	四一二十の二 しいちにじゅうのに （10÷4=2・・・2）	四二天作の五 しにてんさくのご （20÷4=5）	四三七十の二 しさんしちじゅうのに （30÷4=7・・・2）	四進の一進 ししんのいっしん （4÷4=1）				
5の段	五一倍の二 ごいちばいのに （10÷5=2）	五二倍の四 ごにばいのし （20÷5=4）	五三倍の六 ごさんばいのろく （30÷5=6）	五四倍の八 ごしばいのはち （40÷5=8）	五進の一進 ごしんのいっしん （5÷5=1）			
6の段	六一加々四 ろくいちかかし （10÷6=1・・・4）	六二三十の二 ろくにさんじゅうのに （20÷6=3・・・2）	六三天作の五 ろくさんてんさくのご （30÷6=5）	六四六十の四 ろくしろくじゅうのし （40÷6=6・・・4）	六五八十の二 ろくごはちじゅうのに （50÷6=8・・・2）	六進の一進 ろくしんのいっしん （6÷6=1）		
7の段	七一加々三 しちいちかかさん （10÷7=1・・・3）	七二加々六 しちにかかろく （20÷7=2・・・6）	七三四十の二 しちさんしじゅうのに （30÷7=4・・・2）	七四五十の五　しちしごじゅうのご （40÷7=5・・・5）	七五七十の一 しちごしちじゅうのいち （50÷7=7・・・1）	七六八十の四 しちろくはちじゅうのし （60÷7=8・・・4）	七進の一進 しちしんのいっしん （7÷7=1）	
8の段	八一加々二 はちいちかかに （10÷8=1・・・2）	八二加々四 はちにかかし （20÷8=2・・・4）	八三加々六 はちさんかかろく （30÷8=3・・・6）	八四天作の五 はちしてんさくのご （40÷8=5）	八五六十の二 はちごろくじゅうのに （50÷8=6・・・2）	八六七十の四 はちろくしちじゅうのし （60÷8=7・・・4）	八七八十の六 はちしちはちじゅうのろく （70÷8=8・・・6）	八進の一進 はちしんのいっしん （8÷8=1）
9の段	九一加々一 くいちかかいち （10÷9=1・・・1）	九二加々二 くにかかに （20÷9=2・・・2）	九三加々三 くさんかかさん （30÷9=3・・・3）	九四加々四 くしかかし （40÷9=4・・・4）	九五加々五 くごかかご （50÷9=5・・・5）	九六加々六 くろくかかろく （60÷9=6・・・6）	九七加々七 くしちかかしち （70÷9=7・・・7）	九八加々八 くはちかかはち （80÷9=8・・・8）

9の段	九進の一進 くしんのいっしん （9÷9=1）

付録

暗算

そろばんに慣れてくると、頭の中にそろばんをおいて
計算ができるようになります。
生活の中で計算がすばやくできて便利です。

Lesson 22 暗算（足し算・引き算）

そろばん式暗算（珠算式暗算）は、頭の中にそろばんをイメージして計算するものです。
慣れてくると、桁数が多い計算も暗算でできるようになります。

その1 頭の中にそろばんを思い浮かべます

頭の中でそろばんの玉の動きをイメージすることが大切です。

足し算の場合

$$28 + 7$$

1 頭の中にそろばんの玉をイメージし、28をおきます。

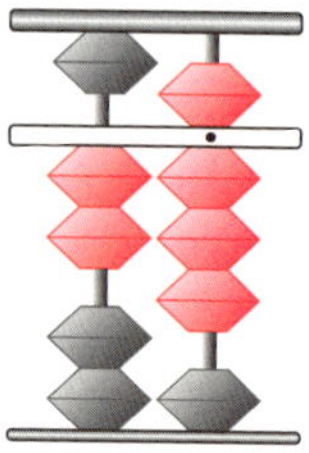

2 7を足すので、3を取って10を足します。

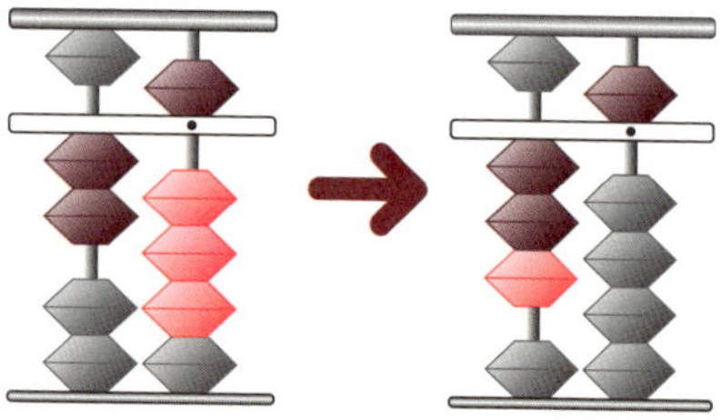

答え **35**

引き算の場合

$$35 - 29$$

1 頭の中にそろばんの玉をイメージし、35をおきます。

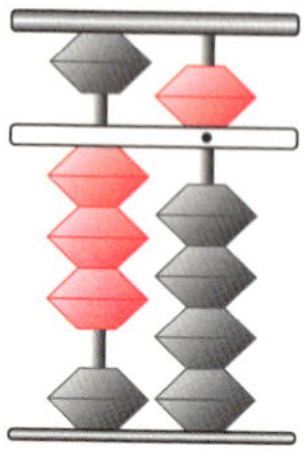

2 29を引くので、まず20を引きます。5から9は引けないので、10を引いて1を足します。

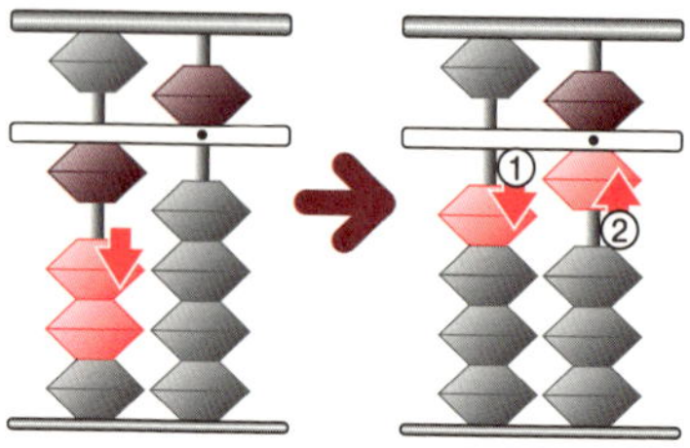

答え **6**

机上に「エアそろばん」をおき、指を動かしながら計算をしてもOK。そろばんでの計算で玉を動かす感覚が身についてくると、「エアそろばん」でも指が自然と動くものです。指を使うと、頭の中のそろばんの玉の動きも思い浮かんできます。

Let's Challenge!

暗算

答えはP91下

筆算で考えるのではなく、あくまでも頭の中でそろばんの玉を動かして、
繰り上げや繰り下げなどをしながら計算をしましょう。

❶ 84 ＋ 7 ＝

❷ 38 ＋ 57 ＝

❸ 90 ＋ 84 ＝

❹ 41 ＋ 78 ＝

❺ 56 ＋ 45 ＝

❻ 79 ＋ 56 ＝

❼ 21 ＋ 97 ＝

❽ 63 ＋ 77 ＝

❾ 18 ＋ 75 ＝

❿ 48 ＋ 86 ＝

⓫ 33 － 5 ＝

⓬ 85 － 57 ＝

⓭ 42 － 38 ＝

⓮ 64 － 42 ＝

⓯ 95 － 83 ＝

⓰ 80 － 59 ＝

⓱ 79 － 34 ＝

⓲ 55 － 23 ＝

⓳ 71 － 49 ＝

⓴ 81 － 76 ＝

㉑	㉒	㉓	㉔	㉕
31	80	17	34	39
70	7	32	58	40
52	－ 53	－ 26	－ 70	88
33	8	44	－ 8	－ 56
15	90	－ 15	95	－ 7

㉖	㉗	㉘	㉙	㉚
14	21	15	68	52
22	66	43	7	55
－ 6	82	－ 20	－ 22	－ 81
42	－ 58	－ 17	－ 31	6
－ 11	40	63	19	40

答え

①91 ②95 ③174 ④119 ⑤101 ⑥135 ⑦118 ⑧140 ⑨93 ⑩134 ⑪28 ⑫28 ⑬4 ⑭22 ⑮12 ⑯21 ⑰45 ⑱32 ⑲22 ⑳5 ㉑201 ㉒132 ㉓52 ㉔109 ㉕104 ㉖61 ㉗151 ㉘84 ㉙41 ㉚72

COLUMN 5

フラッシュ暗算って何？

フラッシュ暗算は、コンピュータ画面にパッ、パッと数字がフラッシュ式で出題され、それを珠算式暗算で求めるものです。テレビなどで、見た人も多いでしょう。

筆算だと難しい桁数の多い計算も、頭の中でそろばんの玉を思い浮かべて計算する珠算式暗算ができれば、脳が数を画像として捉えるため、すばやく頭の中で計算できます。

トモエそろばんのホームページでは、パソコン操作で「フラッシュ暗算」が体験できます。そろばんの玉を頭に思い浮かべながら、ぜひ挑戦してみてください。

http://www.soroban.com/

そろばんの検定試験

珠算検定試験を実施しているのは、以下の3団体です。
詳しくは直接お問い合わせください。

日本珠算連盟
〒101−0047　東京都千代田区内神田1−17−9　TCUビル6階
TEL　03−3518−0188（代表）
http://www.shuzan.jp/

（社）全国珠算教育連盟
〒601−8438 京都市南区西九条東比永城町28
TEL　075−681−1234（代表）
http://www.soroban.or.jp/

（公社）全国珠算学校連盟
〒464−0850　名古屋市千種区今池3−1−3
TEL　052−732−5051
http://shuzan-gakko.com/

トレーニングドリル

見取り算、掛け算、割り算の問題を
初級・中級・上級と分けています。
どんどんレベルアップしていきましょう。

毎日の練習ドリル①

初級　中級　上級

▶ 時間をはかりながら練習しましょう。
▶ 見取り算、掛け算、割り算で各10分を目指しましょう。
▶ 解答は3桁ごとにカンマ（，）で区切って記入しましょう。

答えはP95下

見取り算

❶	❷	❸	❹	❺
50	70	50	80	60
10	30	30	10	90
30	80	20	30	40
60	40	10	50	60
40	20	90	90	50

❻	❼	❽	❾	❿
57	47	84	90	25
31	51	36	23	87
22	71	79	− 51	98
87	89	15	49	− 57
6	29	93	− 36	− 32

⓫	⓬	⓭	⓮	⓯
55	87	71	25	71
43	63	− 53	63	46
− 77	− 42	99	81	− 26
85	− 39	87	− 60	− 56
− 17	70	− 53	− 13	97

⓰	⓱	⓲	⓳	⓴
66	30	35	23	50
19	65	77	25	39
− 13	17	− 44	60	76
− 51	− 21	92	− 55	− 32
98	− 12	− 30	41	− 29

掛け算

① 60 × 4 =

② 3 × 29 =

③ 7 × 47 =

④ 8 × 51 =

⑤ 4 × 93 =

⑥ 5 × 73 =

⑦ 82 × 8 =

⑧ 97 × 6 =

⑨ 19 × 8 =

⑩ 23 × 7 =

⑪ 71 × 4 =

⑫ 31 × 8 =

⑬ 93 × 5 =

⑭ 29 × 4 =

⑮ 13 × 8 =

⑯ 9 × 14 =

⑰ 3 × 24 =

⑱ 23 × 2 =

⑲ 55 × 8 =

⑳ 74 × 6 =

割り算

① 57 ÷ 3 =

② 84 ÷ 3 =

③ 91 ÷ 7 =

④ 60 ÷ 3 =

⑤ 75 ÷ 3 =

⑥ 198 ÷ 6 =

⑦ 441 ÷ 7 =

⑧ 249 ÷ 3 =

⑨ 138 ÷ 3 =

⑩ 192 ÷ 8 =

⑪ 630 ÷ 9 =

⑫ 405 ÷ 5 =

⑬ 248 ÷ 4 =

⑭ 279 ÷ 9 =

⑮ 308 ÷ 7 =

⑯ 119 ÷ 7 =

⑰ 308 ÷ 4 =

⑱ 220 ÷ 5 =

⑲ 104 ÷ 4 =

⑳ 273 ÷ 3 =

答え

[見取り算] ①190 ②240 ③200 ④260 ⑤300 ⑥203 ⑦287 ⑧307 ⑨75 ⑩121 ⑪89 ⑫139 ⑬151 ⑭96 ⑮132 ⑯119 ⑰79 ⑱130 ⑲94 ⑳104

[掛け算] ①240 ②87 ③329 ④408 ⑤372 ⑥365 ⑦656 ⑧582 ⑨152 ⑩161 ⑪284 ⑫248 ⑬465 ⑭116 ⑮104 ⑯126 ⑰72 ⑱46 ⑲440 ⑳444

[割り算] ①19 ②28 ③13 ④20 ⑤25 ⑥33 ⑦63 ⑧83 ⑨46 ⑩24 ⑪70 ⑫81 ⑬62 ⑭31 ⑮44 ⑯17 ⑰77 ⑱44 ⑲26 ⑳91

毎日の練習ドリル②

初級　中級　上級

▶ 時間をはかりながら練習しましょう。
▶ 見取り算、掛け算、割り算で各10分を目指しましょう。
▶ 解答は3桁ごとにカンマ（ , ）で区切って記入しましょう。

答えはP97下

見取り算

❶	❷	❸	❹	❺
45	80	62	56	40
10	35	50	91	32
82	49	19	13	96
31	27	35	48	24
26	13	54	33	67

❻	❼	❽	❾	❿
68	20	94	10	80
79	46	83	67	42
26	31	44	34	39
71	50	79	59	57
50	13	36	45	16

⓫	⓬	⓭	⓮	⓯
79	99	21	44	34
− 33	10	95	12	27
55	− 31	− 36	56	88
− 23	42	59	− 40	− 17
− 12	− 17	− 97	51	− 26

⓰	⓱	⓲	⓳	⓴
89	93	18	54	77
10	51	57	99	15
− 21	− 23	− 14	13	− 60
56	− 52	68	− 50	56
− 44	31	− 96	− 21	− 41

掛け算

❶ 24 × 9 =

❷ 62 × 8 =

❸ 13 × 4 =

❹ 74 × 5 =

❺ 31 × 7 =

❻ 4 × 98 =

❼ 3 × 39 =

❽ 5 × 18 =

❾ 9 × 97 =

❿ 6 × 68 =

⓫ 46 × 5 =

⓬ 83 × 4 =

⓭ 41 × 3 =

⓮ 82 × 8 =

⓯ 26 × 3 =

⓰ 57 × 6 =

⓱ 34 × 2 =

⓲ 64 × 3 =

⓳ 76 × 8 =

⓴ 41 × 9 =

割り算

❶ 228 ÷ 4 =

❷ 584 ÷ 8 =

❸ 207 ÷ 9 =

❹ 372 ÷ 4 =

❺ 301 ÷ 7 =

❻ 171 ÷ 9 =

❼ 185 ÷ 5 =

❽ 315 ÷ 7 =

❾ 116 ÷ 4 =

❿ 469 ÷ 7 =

⓫ 224 ÷ 4 =

⓬ 104 ÷ 8 =

⓭ 576 ÷ 8 =

⓮ 657 ÷ 9 =

⓯ 138 ÷ 6 =

⓰ 165 ÷ 5 =

⓱ 174 ÷ 3 =

⓲ 348 ÷ 6 =

⓳ 189 ÷ 9 =

⓴ 276 ÷ 6 =

答え

[見取り算] ①194 ②204 ③220 ④241 ⑤259 ⑥294 ⑦160 ⑧336 ⑨215 ⑩234 ⑪66 ⑫103 ⑬42 ⑭123 ⑮106 ⑯90 ⑰100 ⑱33 ⑲95 ⑳47

[掛け算] ①216 ②496 ③52 ④370 ⑤217 ⑥392 ⑦117 ⑧90 ⑨873 ⑩408 ⑪230 ⑫332 ⑬123 ⑭656 ⑮78 ⑯342 ⑰68 ⑱192 ⑲608 ⑳369

[割り算] ①57 ②73 ③23 ④93 ⑤43 ⑥19 ⑦37 ⑧45 ⑨29 ⑩67 ⑪56 ⑫13 ⑬72 ⑭73 ⑮23 ⑯33 ⑰58 ⑱58 ⑲21 ⑳46

毎日の練習ドリル③

初級　中級　上級

▶時間をはかりながら練習しましょう。
▶見取り算、掛け算、割り算で各10分を目指しましょう。
▶解答は3桁ごとにカンマ（，）で区切って記入しましょう。

答えはP99下

見取り算

❶	❷	❸	❹	❺
88	96	26	21	66
31	12	81	65	42
55	− 51	45	52	75
14	72	− 11	− 26	56
71	− 93	− 37	− 52	− 44

❻	❼	❽	❾	❿
49	45	59	13	80
17	13	− 33	85	12
− 31	95	62	− 53	− 18
− 14	− 42	71	− 23	95
93	− 53	− 58	58	46

⓫	⓬	⓭	⓮	⓯
62	96	75	33	94
83	35	25	42	24
25	− 11	32	93	17
− 16	59	− 21	− 35	64
− 32	− 22	− 50	− 21	− 89

⓰	⓱	⓲	⓳	⓴
30	68	45	11	85
54	15	27	59	− 24
− 29	84	64	− 23	52
51	− 30	13	56	− 21
93	− 19	− 94	− 3	98

掛け算

❶ 8 × 32 ＝
❷ 7 × 18 ＝
❸ 5 × 41 ＝
❹ 3 × 88 ＝
❺ 2 × 63 ＝
❻ 4 × 21 ＝
❼ 90 × 3 ＝
❽ 58 × 5 ＝
❾ 14 × 7 ＝
❿ 29 × 6 ＝
⓫ 63 × 9 ＝
⓬ 91 × 3 ＝
⓭ 54 × 8 ＝
⓮ 36 × 7 ＝
⓯ 16 × 8 ＝
⓰ 87 × 4 ＝
⓱ 62 × 9 ＝
⓲ 21 × 4 ＝
⓳ 99 × 7 ＝
⓴ 34 × 4 ＝

割り算

❶ 228 ÷ 4 ＝
❷ 584 ÷ 8 ＝
❸ 207 ÷ 9 ＝
❹ 372 ÷ 4 ＝
❺ 301 ÷ 7 ＝
❻ 171 ÷ 9 ＝
❼ 185 ÷ 5 ＝
❽ 315 ÷ 7 ＝
❾ 116 ÷ 4 ＝
❿ 918 ÷ 9 ＝
⓫ 188 ÷ 4 ＝
⓬ 244 ÷ 4 ＝
⓭ 287 ÷ 7 ＝
⓮ 261 ÷ 9 ＝
⓯ 318 ÷ 6 ＝
⓰ 308 ÷ 7 ＝
⓱ 264 ÷ 8 ＝
⓲ 630 ÷ 3 ＝
⓳ 656 ÷ 4 ＝
⓴ 505 ÷ 5 ＝

答え

[見取り算] ①259 ②36 ③104 ④60 ⑤195 ⑥114 ⑦58 ⑧101 ⑨80 ⑩215 ⑪122 ⑫157 ⑬61 ⑭112 ⑮110 ⑯199 ⑰118 ⑱55 ⑲100 ⑳190
[掛け算] ①256 ②126 ③205 ④264 ⑤126 ⑥84 ⑦270 ⑧290 ⑨98 ⑩174 ⑪567 ⑫273 ⑬432 ⑭252 ⑮128 ⑯348 ⑰558 ⑱84 ⑲693 ⑳136
[割り算] ①57 ②73 ③23 ④93 ⑤43 ⑥19 ⑦37 ⑧45 ⑨29 ⑩102 ⑪47 ⑫61 ⑬41 ⑭29 ⑮53 ⑯44 ⑰33 ⑱210 ⑲164 ⑳101

毎日の練習ドリル④

初級 中級 上級

▶時間をはかりながら練習しましょう。
▶見取り算、掛け算、割り算で各10分を目指しましょう。
▶解答は3桁ごとにカンマ（，）で区切って記入しましょう。

答えはP101下

見取り算

①	②	③	④	⑤
43	214	251	93	137
541	27	13	746	141
23	430	43	459	77
385	76	456	35	150
106	87	121	72	76

⑥	⑦	⑧	⑨	⑩
304	924	180	331	10
423	36	54	167	533
63	18	76	77	12
156	157	517	47	390
2	38	67	381	101

⑪	⑫	⑬	⑭	⑮
889	84	42	397	99
− 57	263	347	− 143	108
− 116	930	− 207	27	− 86
− 12	− 442	403	554	143
633	− 18	− 157	− 27	− 16

⑯	⑰	⑱	⑲	⑳
610	183	90	520	903
125	670	21	91	− 31
− 174	14	45	28	− 114
− 32	− 37	133	− 205	− 60
− 108	− 519	160	− 57	700

掛け算

❶ 18 × 23 =

❷ 29 × 11 =

❸ 92 × 12 =

❹ 25 × 30 =

❺ 84 × 17 =

❻ 26 × 28 =

❼ 71 × 31 =

❽ 59 × 16 =

❾ 33 × 21 =

❿ 35 × 16 =

⓫ 15 × 62 =

⓬ 40 × 26 =

⓭ 63 × 15 =

⓮ 93 × 13 =

⓯ 53 × 23 =

⓰ 14 × 45 =

⓱ 66 × 47 =

⓲ 32 × 62 =

⓳ 79 × 18 =

⓴ 41 × 82 =

割り算

❶ 350 ÷ 5 =

❷ 774 ÷ 9 =

❸ 116 ÷ 4 =

❹ 472 ÷ 4 =

❺ 162 ÷ 2 =

❻ 120 ÷ 8 =

❼ 108 ÷ 6 =

❽ 245 ÷ 7 =

❾ 568 ÷ 8 =

❿ 264 ÷ 3 =

⓫ 420 ÷ 4 =

⓬ 155 ÷ 5 =

⓭ 712 ÷ 8 =

⓮ 346 ÷ 2 =

⓯ 252 ÷ 7 =

⓰ 560 ÷ 4 =

⓱ 582 ÷ 6 =

⓲ 195 ÷ 3 =

⓳ 189 ÷ 9 =

⓴ 623 ÷ 7 =

答え

[見取り算] ①1,098 ②834 ③884 ④1,405 ⑤581 ⑥948 ⑦1,173 ⑧894 ⑨1,003 ⑩1,046 ⑪1,337 ⑫817 ⑬428 ⑭808 ⑮248 ⑯421 ⑰311 ⑱449 ⑲377 ⑳1,398

[掛け算] ①414 ②319 ③1,104 ④750 ⑤1,428 ⑥728 ⑦2,201 ⑧944 ⑨693 ⑩560 ⑪930 ⑫1,040 ⑬945 ⑭1,209 ⑮1,219 ⑯630 ⑰3,102 ⑱1,984 ⑲1,422 ⑳3,362

[割り算] ①70 ②86 ③29 ④118 ⑤81 ⑥15 ⑦18 ⑧35 ⑨71 ⑩88 ⑪105 ⑫31 ⑬89 ⑭173 ⑮36 ⑯140 ⑰97 ⑱65 ⑲21 ⑳89

毎日の練習ドリル⑤

初級　**中級**　上級

- ▶時間をはかりながら練習しましょう。
- ▶見取り算、掛け算、割り算で各10分を目指しましょう。
- ▶解答は3桁ごとにカンマ（，）で区切って記入しましょう。

答えはP103下

見取り算

❶	❷	❸	❹	❺
605	240	63	43	510
70	37	130	88	36
22	620	76	430	72
180	55	30	300	380
34	920	540	92	11

❻	❼	❽	❾	❿
700	91	130	220	17
45	37	76	49	160
63	67	51	740	92
56	150	430	31	49
200	440	21	42	850

⓫	⓬	⓭	⓮	⓯
490	29	320	97	69
55	170	34	− 45	330
− 120	950	− 21	273	− 96
− 31	− 390	103	66	173
61	− 12	− 28	490	16

⓰	⓱	⓲	⓳	⓴
19	81	20	320	295
235	480	41	96	− 36
76	69	− 16	− 23	− 14
− 36	− 34	286	− 113	67
− 170	− 59	851	58	745

掛け算

❶ 55 × 13 =

❷ 20 × 47 =

❸ 31 × 32 =

❹ 24 × 41 =

❺ 74 × 12 =

❻ 36 × 27 =

❼ 53 × 60 =

❽ 49 × 46 =

❾ 22 × 81 =

❿ 37 × 18 =

⓫ 90 × 62 =

⓬ 73 × 24 =

⓭ 13 × 19 =

⓮ 83 × 40 =

⓯ 92 × 23 =

⓰ 19 × 95 =

⓱ 46 × 57 =

⓲ 30 × 64 =

⓳ 70 × 88 =

⓴ 45 × 12 =

割り算

❶ 876 ÷ 6 =

❷ 105 ÷ 5 =

❸ 816 ÷ 4 =

❹ 472 ÷ 8 =

❺ 310 ÷ 2 =

❻ 156 ÷ 4 =

❼ 903 ÷ 3 =

❽ 625 ÷ 5 =

❾ 132 ÷ 3 =

❿ 456 ÷ 4 =

⓫ 396 ÷ 9 =

⓬ 730 ÷ 5 =

⓭ 498 ÷ 3 =

⓮ 246 ÷ 6 =

⓯ 612 ÷ 6 =

⓰ 240 ÷ 3 =

⓱ 780 ÷ 4 =

⓲ 204 ÷ 6 =

⓳ 256 ÷ 8 =

⓴ 714 ÷ 7 =

答え

[見取り算] ①911 ②1,872 ③839 ④953 ⑤1,009 ⑥1,064 ⑦785 ⑧708 ⑨1,082 ⑩1,168 ⑪455 ⑫747 ⑬408 ⑭881 ⑮492 ⑯124 ⑰537 ⑱1,182 ⑲338 ⑳1,057

[掛け算] ①715 ②940 ③992 ④984 ⑤888 ⑥972 ⑦3,180 ⑧2,254 ⑨1,782 ⑩666 ⑪5,580 ⑫1,752 ⑬247 ⑭3,320 ⑮2,116 ⑯1,805 ⑰2,622 ⑱1,920 ⑲6,160 ⑳540

[割り算] ①146 ②21 ③204 ④59 ⑤155 ⑥39 ⑦301 ⑧125 ⑨44 ⑩114 ⑪44 ⑫146 ⑬166 ⑭41 ⑮102 ⑯80 ⑰195 ⑱34 ⑲32 ⑳102

毎日の練習ドリル⑥

初級　中級　上級

▶ 時間をはかりながら練習しましょう。
▶ 見取り算、掛け算、割り算で各10分を目指しましょう。
▶ 解答は3桁ごとにカンマ（ , ）で区切って記入しましょう。

答えはP105下

見取り算

❶	❷	❸	❹	❺
113	679	263	313	51
17	138	103	828	336
283	52	26	43	172
25	96	36	26	39
104	352	366	9	91

❻	❼	❽	❾	❿
60	371	63	129	137
455	48	766	56	770
161	607	512	714	62
46	18	44	331	40
300	483	25	62	253

⓫	⓬	⓭	⓮	⓯
920	729	615	997	19
42	18	44	− 46	556
− 160	50	− 29	− 328	− 94
− 45	− 296	248	67	− 143
113	− 15	− 67	453	332

⓰	⓱	⓲	⓳	⓴
233	883	500	35	364
291	471	78	957	36
− 73	79	− 12	− 22	− 15
− 35	− 36	185	− 133	− 167
546	159	605	71	45

掛け算

❶ 25 × 18 =

❷ 50 × 37 =

❸ 33 × 33 =

❹ 42 × 14 =

❺ 64 × 12 =

❻ 37 × 21 =

❼ 63 × 11 =

❽ 59 × 36 =

❾ 20 × 81 =

❿ 39 × 17 =

⓫ 80 × 62 =

⓬ 71 × 44 =

⓭ 23 × 19 =

⓮ 36 × 41 =

⓯ 98 × 23 =

⓰ 19 × 85 =

⓱ 16 × 57 =

⓲ 14 × 64 =

⓳ 40 × 88 =

⓴ 66 × 22 =

割り算

❶ 432 ÷ 4 =

❷ 816 ÷ 8 =

❸ 424 ÷ 4 =

❹ 765 ÷ 3 =

❺ 500 ÷ 4 =

❻ 522 ÷ 6 =

❼ 420 ÷ 3 =

❽ 425 ÷ 5 =

❾ 285 ÷ 3 =

❿ 512 ÷ 4 =

⓫ 828 ÷ 9 =

⓬ 600 ÷ 4 =

⓭ 870 ÷ 6 =

⓮ 244 ÷ 4 =

⓯ 812 ÷ 2 =

⓰ 960 ÷ 5 =

⓱ 287 ÷ 7 =

⓲ 204 ÷ 4 =

⓳ 792 ÷ 6 =

⓴ 847 ÷ 7 =

答え

[見取り算] ①542 ②1,317 ③794 ④1,219 ⑤689 ⑥1,022 ⑦1,527 ⑧1,410 ⑨1,292 ⑩1,262 ⑪870 ⑫486 ⑬811 ⑭1,143 ⑮670 ⑯962 ⑰1,556 ⑱1,356 ⑲908 ⑳263

[掛け算] ①450 ②1,850 ③1,089 ④588 ⑤768 ⑥777 ⑦693 ⑧2,124 ⑨1,620 ⑩663 ⑪4,960 ⑫3,124 ⑬437 ⑭1,476 ⑮2,254 ⑯1,615 ⑰912 ⑱896 ⑲3,520 ⑳1,452

[割り算] ①108 ②102 ③106 ④255 ⑤125 ⑥87 ⑦140 ⑧85 ⑨95 ⑩128 ⑪92 ⑫150 ⑬145 ⑭61 ⑮406 ⑯192 ⑰41 ⑱51 ⑲132 ⑳121

毎日の練習ドリル⑦

初級　中級　上級

▶ 時間をはかりながら練習しましょう。
▶ 見取り算、掛け算、割り算で各10分を目指しましょう。
▶ 解答は3桁ごとにカンマ（，）で区切って記入しましょう。

答えはP107下

見取り算

❶	❷	❸	❹	❺
130	1,014	951	2,293	531
5,403	2,677	130	745	1,943
223	420	4,029	462	770
3,085	726	1,497	4,028	1,509
863	4,363	456	779	676

❻	❼	❽	❾	❿
7,334	966	1,701	3,741	1,011
413	3,862	594	1,639	5,448
1,082	185	615	689	155
559	1,257	510	475	390
923	383	6,607	3,581	7,196

⓫	⓬	⓭	⓮	⓯
1,389	8,964	4,222	7,391	998
− 577	2,061	697	144	105
5,597	923	− 983	2,700	3,186
− 3,028	− 845	4,103	− 543	− 147
636	− 6,195	− 154	2,336	3,179

⓰	⓱	⓲	⓳	⓴
4,327	3,383	6,239	5,520	9,103
1,250	− 697	2,163	− 937	3,351
− 173	1,654	− 450	2,869	− 118
− 1,037	− 370	1,333	− 209	− 609
− 509	− 887	967	1,756	7,344

掛け算

❶ 208 × 13 =

❷ 419 × 31 =

❸ 932 × 32 =

❹ 245 × 45 =

❺ 184 × 87 =

❻ 616 × 58 =

❼ 781 × 46 =

❽ 559 × 39 =

❾ 390 × 21 =

❿ 735 × 16 =

⓫ 31 × 675 =

⓬ 48 × 260 =

⓭ 64 × 753 =

⓮ 91 × 133 =

⓯ 43 × 543 =

⓰ 74 × 184 =

⓱ 47 × 696 =

⓲ 34 × 622 =

⓳ 88 × 709 =

⓴ 54 × 821 =

割り算

☆答えは、小数点第三位は四捨五入し、小数点第二位までにする

❶ 48 ÷ 9 =

❷ 74 ÷ 9 =

❸ 16 ÷ 7 =

❹ 34 ÷ 7 =

❺ 22 ÷ 3 =

❻ 91 ÷ 8 =

❼ 20 ÷ 3 =

❽ 40 ÷ 7 =

❾ 31 ÷ 8 =

❿ 83 ÷ 8 =

⓫ 120 ÷ 9 =

⓬ 112 ÷ 6 =

⓭ 715 ÷ 8 =

⓮ 300 ÷ 7 =

⓯ 250 ÷ 3 =

⓰ 361 ÷ 7 =

⓱ 580 ÷ 9 =

⓲ 195 ÷ 7 =

⓳ 182 ÷ 9 =

⓴ 603 ÷ 7 =

答え

[見取り算] ①9,704 ②9,200 ③7,063 ④8,307 ⑤5,429 ⑥10,311 ⑦6,653 ⑧10,027 ⑨10,125 ⑩14,200 ⑪4,017 ⑫4,908 ⑬7,885 ⑭12,028 ⑮7,321 ⑯3,858 ⑰3,083 ⑱10,252 ⑲8,999 ⑳19,071

[掛け算] ①2,704 ②12,989 ③29,824 ④11,025 ⑤16,008 ⑥35,728 ⑦35,926 ⑧21,801 ⑨8,190 ⑩11,760 ⑪20,925 ⑫12,480 ⑬48,192 ⑭12,103 ⑮23,349 ⑯13,616 ⑰32,712 ⑱21,148 ⑲62,392 ⑳44,334

[割り算] ①5.33 ②8.22 ③2.29 ④4.86 ⑤7.33 ⑥11.38 ⑦6.67 ⑧5.71 ⑨3.88 ⑩10.38 ⑪13.33 ⑫18.67 ⑬89.38 ⑭42.86 ⑮83.33 ⑯51.57 ⑰64.44 ⑱27.86 ⑲20.22 ⑳86.14

毎日の練習ドリル⑧

初級　中級　上級

▶ 時間をはかりながら練習しましょう。
▶ 見取り算、掛け算、割り算で各10分を目指しましょう。
▶ 解答は3桁ごとにカンマ（，）で区切って記入しましょう。

答えはP109下

見取り算

❶	❷	❸	❹	❺
1,232	814	3,851	193	423
403	9,602	1,307	7,407	2,199
2,931	485	229	574	878
3,557	1,026	693	1,935	1,560
879	363	4,057	789	951

❻	❼	❽	❾	❿
1,134	296	701	8,074	3,819
6,213	1,995	556	1,864	692
855	415	6,157	522	157
5,059	6,244	186	479	3,905
978	370	1,622	2,563	7,076

⓫	⓬	⓭	⓮	⓯
8,380	2,254	576	1,392	9,028
− 889	2,957	9,007	149	305
2,759	923	− 558	− 1,117	− 3,150
− 2,021	− 541	4,445	883	− 146
783	− 1,691	− 7,064	2,694	− 1,176

⓰	⓱	⓲	⓳	⓴
802	4,313	2,931	590	3,190
1,554	693	6,144	9,937	− 351
− 308	1,755	− 581	2,093	− 917
1,032	− 385	1,124	− 217	− 1,611
− 677	− 3,804	− 2,966	− 1,995	9,964

掛け算

❶ 318 × 243 ＝

❷ 408 × 310 ＝

❸ 992 × 372 ＝

❹ 145 × 645 ＝

❺ 884 × 872 ＝

❻ 637 × 158 ＝

❼ 780 × 436 ＝

❽ 519 × 392 ＝

❾ 398 × 291 ＝

❿ 745 × 167 ＝

⓫ 391 × 275 ＝

⓬ 248 × 230 ＝

⓭ 604 × 253 ＝

⓮ 961 × 163 ＝

⓯ 423 × 543 ＝

⓰ 740 × 189 ＝

⓱ 497 × 696 ＝

⓲ 334 × 628 ＝

⓳ 858 × 707 ＝

⓴ 584 × 891 ＝

割り算

☆答えは、小数点第三位は四捨五入し、小数点第二位までにする

❶ 308 ÷ 9 ＝

❷ 740 ÷ 7 ＝

❸ 166 ÷ 7 ＝

❹ 355 ÷ 3 ＝

❺ 212 ÷ 3 ＝

❻ 919 ÷ 8 ＝

❼ 900 ÷ 7 ＝

❽ 155 ÷ 6 ＝

❾ 301 ÷ 8 ＝

❿ 830 ÷ 3 ＝

⓫ 120 ÷ 7 ＝

⓬ 212 ÷ 7 ＝

⓭ 712 ÷ 9 ＝

⓮ 305 ÷ 7 ＝

⓯ 254 ÷ 3 ＝

⓰ 360 ÷ 7 ＝

⓱ 555 ÷ 9 ＝

⓲ 295 ÷ 7 ＝

⓳ 192 ÷ 9 ＝

⓴ 601 ÷ 7 ＝

答え

[見取り算] ①9,002 ②12,290 ③10,137 ④10,898 ⑤6,011 ⑥14,239 ⑦9,320 ⑧9,222 ⑨13,502 ⑩15,649 ⑪9,012 ⑫3,902 ⑬6,406 ⑭4,001 ⑮4,861 ⑯2,403 ⑰2,572 ⑱6,652 ⑲10,408 ⑳10,275

[掛け算] ①77,274 ②126,480 ③369,024 ④93,525 ⑤770,848 ⑥100,646 ⑦340,080 ⑧203,448 ⑨115,818 ⑩124,415 ⑪107,525 ⑫57,040 ⑬152,812 ⑭156,643 ⑮229,689 ⑯139,860 ⑰345,912 ⑱209,752 ⑲606,606 ⑳520,344

[割り算] ①34.22 ②105.71 ③23.71 ④118.33 ⑤70.67 ⑥114.88 ⑦128.57 ⑧25.83 ⑨37.63 ⑩276.67 ⑪17.14 ⑫30.29 ⑬79.11 ⑭43.57 ⑮84.67 ⑯51.43 ⑰61.67 ⑱42.14 ⑲21.33 ⑳85.86

毎日の練習ドリル⑨

初級　中級　上級

▶ 時間をはかりながら練習しましょう。
▶ 見取り算、掛け算、割り算で各10分を目指しましょう。
▶ 解答は3桁ごとにカンマ（ , ）で区切って記入しましょう。

答えはP111下

見取り算

❶	❷	❸	❹	❺
9,562	454	7,571	993	4,198
3,103	2,633	308	5,434	2,191
6,535	4,085	254	779	655
557	779	6,193	1,666	7,856
1,254	1,559	4,057	379	923

❻	❼	❽	❾	❿
9,194	260	7,201	1,964	828
− 6,290	4,459	− 544	2,864	2,692
586	483	− 3,156	− 528	464
2,059	− 1,006	486	− 473	− 2,805
1,978	4,392	1,592	1,573	893

⓫	⓬	⓭	⓮	⓯
7,380	5,254	4,576	992	2,211
− 871	4,951	996	1,049	3,505
1,577	− 924	− 531	− 1,839	− 3,196
− 2,985	− 540	2,974	8,803	− 458
− 313	− 1,691	− 4,062	− 2,685	− 1,188

⓰	⓱	⓲	⓳	⓴
8,852	398	939	5,942	619
1,549	957	6,133	993	3,551
− 308	1,759	5,087	2,159	− 827
− 1,071	− 1,815	− 1,253	− 218	− 1,691
− 496	1,085	− 2,961	− 1,793	4,859

掛け算

❶	32.8 × 7	=
❷	40.8 × 3	=
❸	91.2 × 5	=
❹	14.5 × 6	=
❺	82.4 × 8	=
❻	6.37 × 6	=
❼	7.83 × 4	=
❽	5.29 × 9	=
❾	3.98 × 8	=
❿	7.45 × 3	=
⓫	3.92 × 0.5	=
⓬	2.48 × 0.3	=
⓭	6.04 × 0.4	=
⓮	9.51 × 0.6	=
⓯	4.23 × 0.7	=
⓰	7.53 × 0.02	=
⓱	4.95 × 0.06	=
⓲	3.34 × 0.08	=
⓳	8.51 × 0.04	=
⓴	5.84 × 0.09	=

割り算

☆答えは、小数点第三位は四捨五入し、小数点第二位までにする

❶	444 ÷ 7	=
❷	743 ÷ 3	=
❸	160 ÷ 9	=
❹	543 ÷ 7	=
❺	202 ÷ 3	=
❻	911 ÷ 8	=
❼	800 ÷ 9	=
❽	154 ÷ 6	=
❾	201 ÷ 8	=
❿	830 ÷ 7	=
⓫	125 ÷ 7	=
⓬	213 ÷ 9	=
⓭	721 ÷ 9	=
⓮	332 ÷ 7	=
⓯	154 ÷ 3	=
⓰	379 ÷ 7	=
⓱	163 ÷ 7	=
⓲	290 ÷ 9	=
⓳	137 ÷ 3	=
⓴	665 ÷ 6	=

答え

[見取り算] ①21,011 ②9,510 ③18,383 ④9,251 ⑤15,823 ⑥7,527 ⑦8,588 ⑧5,579 ⑨5,400 ⑩2,072 ⑪4,788 ⑫7,050 ⑬3,953 ⑭6,320 ⑮874 ⑯8,526 ⑰2,384 ⑱7,945 ⑲7,083 ⑳6,511

[掛け算] ①229.6 ②122.4 ③456 ④87 ⑤659.2 ⑥38.22 ⑦31.32 ⑧47.61 ⑨31.84 ⑩22.35 ⑪1.96 ⑫0.744 ⑬2.416 ⑭5.706 ⑮2.961 ⑯0.1506 ⑰0.297 ⑱0.2672 ⑲0.3404 ⑳0.5256

[割り算] ①63.43 ②247.67 ③17.78 ④77.57 ⑤67.33 ⑥113.88 ⑦88.89 ⑧25.67 ⑨25.13 ⑩118.57 ⑪17.86 ⑫23.67 ⑬80.11 ⑭47.43 ⑮51.33 ⑯54.14 ⑰23.29 ⑱32.22 ⑲45.67 ⑳110.83

監修

トモエ算盤株式会社

大正9年（1920）創業のそろばんのトップメーカー。そろばんの生産から販売までを一貫して行っている。国内のみならず、海外へも販路を広げ、現在48カ国に輸出している。海外でも積極的にそろばん教室やセミナーを主催するなど、そろばんのグローバル化にも寄与している。

STAFF

イラスト……………いちぢひろゆき
そろばん図…………鳴島幸夫
装幀…………………小山巧（志岐デザイン事務所）
本文デザイン………室田敏江（志岐デザイン事務所）
編集協力……………株式会社フロンテア

トモエそろばんの大人のそろばん塾

2013年8月10日　初版第1刷発行
2025年5月10日　初版第9刷発行

監　修　トモエ算盤株式会社
発行人　廣瀬和二
発行所　株式会社日東書院本社
〒113-0033
東京都文京区本郷1-33-13　春日町ビル5F
TEL：03－5931－5930（代表）
FAX：03－6386－3087（販売部）

印刷所　三共グラフィック株式会社
製本所　株式会社ブックアート

ISBN978-4-528-01026-0 C2076